ぶっちゃけ 銘柄も見せてください!

億り人がやっている月10万稼ぐ

10倍株&小型株投資法

はっしゃん/愛鷹/キリン/テンバガー投資家X/とりでみなみ

宝島社

ぶっちゃけ
銘柄も見せてください！

億り人がやっている月10万稼ぐ10倍株&小型株投資法

目次

第1章 テンバガーをゲットする心得と注目銘柄

第3章 テンバガーハンターたちの目の付け所

※本書で紹介しているデータや情報は特別な表記がない限り、2023年4月現在のものです。本書は株式投資に役立つ情報を掲載していますが、あらゆる意思決定、最終判断は、ご自身の責任において行われますようお願いいたします。ご自身の株式投資で損害が発生した場合、株式会社宝島社及び著者、本書制作にご協力いただいた企業・スタッフは一切、責任を負いません。また、本書の内容については正確を期すよう万全の努力を払っていますが、2023年4月以降に相場状況が大きく変化した場合、その変化は反映されていません。ご了承ください。

本文デザイン●鈴木貴之
編集協力●高水 茂
執筆協力●大西洋平
井ノ上 昇
日野秀規
味岡啓二

第1章

テンバガーを ゲットする心得と 注目銘柄

テンバガーをゲットする心得十箇条

誰もが憧れるテンバガー（10倍株）の獲り方を、テンバガー獲得経験のある投資家の言葉から十の心得としてまとめました。詳しい内容は第2章以降をご覧ください。

―第一条―
タイパ（タイムパフォーマンス）重視で成長株への長期投資

銘柄選びに無駄な時間をかけない。『四季報』は全ページを1時間、決算書は1社につき3分の速読で、投資候補をリストアップ。さらに、はっしゃんが開発した理論株価チャートを使えば、割安な成長株選びが簡単にできる。買った後は、成長が続く限り「ほったらかし」。兼業投資家にもお勧めの投資法。

第二条　4つのステップで10倍株を発掘する

テンバガーや将来の成長株を発掘するための4つのステップとは、①株価チャートが右肩上がりの銘柄をピックアップ、②増収増益が続いているかを決算チェック、③理論株価と株価が連動する割安銘柄を発掘、④未来の企業価値を計算（省略可）。詳しくは24ページ以下の「はっしゃん」の手法を参照。

第三条　狙うこと、鷹の如し

経済はヒト、モノ、カネの流れから成ります。株式投資では、ヒト、モノ、カネが今どこに流れているのか、継続的にどこへ流れようとしているのか、を考えます。適時開示だけでなく、身の回りの変化や国際情勢などから、時流を読み解く眼力を研鑽しましょう。日々精進です。

第四条　忍ぶこと、麦の如し

15年間で数々のショックを耐え忍べた忍力は、暴落してもそれに屈することなく、ピンチはチャンスと前向きに捉えて相場に挑み続けたからこそ培われたもの。足許が不安定な時こそ前を向いて相場に臨みましょう。不撓不屈です。

第五条　初値をつけた後のＩＰＯ銘柄をセカンダリーで仕込む

ＩＰＯの抽選に申し込んでも、なかなか当選しなかったり、割り当てられても人気の低い銘柄ばかりで初値が公募割れになったりして、期待通りの成果が得られないことは多い。そこで狙い目は初値をつけた後のＩＰＯ銘柄をセカンダリー（二次流通）で仕込む方法。（詳しくは１０２ページ「テンバガー投資家Ｘ」の投資手法を参照）

第六条

年間の新規上場数のうちセカンダリーの取得は1割

年間の新規上場数90～100社程度のうち、セカンダリーで取得するのは5～10銘柄程度。銘柄分析にはそれほど時間はかけず、4日に1度程度のペースで新規上場するIPO銘柄を分析。銘柄選定のための「11の条件」は108～109ページを参照。

第七条

リスク管理の徹底と利益の増大を両立

株式投資では損を小さくして利を伸ばす、「損小利大」が勝つコツだといわれるが、その単純な方法として「含み損・即売り」を行う。相場つきがよくないときや見込みが外れたときには、機械的に損切りしてリスク管理。そして損切りで得た資金の多くは自信度の高い銘柄に振り向けることで、投資資金の効率化を図る。

第八条
相場動向に一喜一憂せず個別銘柄の材料把握に集中

マクロ環境については、自分より詳しい人がいくらでもいる。マクロの材料を活用した売買を行ったところで、タイミングが遅れてしまえば、より詳しい投資家の餌食になるだけ。むしろ、できる限り多くの適時開示をひたすら読み込んで、個別銘柄の材料を把握することに集中する。

第九条
ほったらかし投資はテンバガーへの近道

仮に株価の下落を予想できて売却したとしても、買い戻せなくなる可能性がある。どこで株価が反転し回復に向かうかを当てることは難しい。なので、下落が予想されても長期で考えて明るい未来が描けているのならば、短期間の値動きは気にしても意味がない。結果的に、超長期の「ほったらかし投資」が、案外テンバガーへの近道だったりする。

第十条

テンバガーの王道は市場が伸び続けること

たとえば規模が１００億円でもこれ以上伸びていかない業界であれば、たとえ独占企業であっても売上は１００億円以上にはならない。反対に、業界規模が伸び続けている場合は、売上を伸ばす余地が生まれ、それが期待となって株価にも反映される。だから伸びている業界を狙うこと。

この十箇条を実践してテンバガーをゲットしよう！

億り人が注目する 将来の10倍株（テンバガー）候補

今から買っても遅くない！
本書に登場する億り人が注目する
将来のテンバガー候補と、
注目ポイントを一挙紹介。

データの見方

この銘柄に注目する億り人

直近の株価とチャート
（2023年4月7日現在）
出典：株探
（https://kabutan.jp/）

銘柄（企業）名
証券コード
上場している市場

はっしゃん氏注目！

ANYCOLOR（5032／東証G）

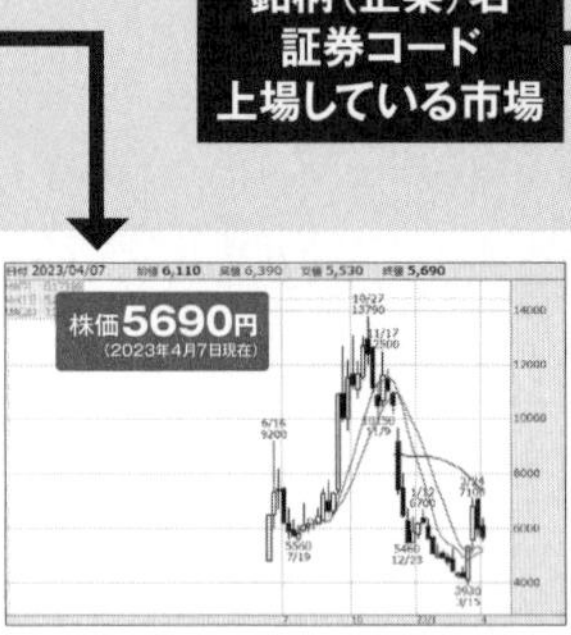

2022年	2023年
売上高	
14,164	25,000
営業利益	
4,191	9,200
経常利益	
4,149	9,200
当期利益	
2,793	6,380
1株益	
93.3円	208.5円
時価総額	
1,754億円	―

VTuberグループ「にじさんじ」の運営を手掛ける。2022年6月8日、東証グロースで新規上場。2023年3月15日には4月期の業績予想の上方修正と、プライム市場への変更申請を発表。VTuberはメタバースやChatGPTなどのAIとも相性が良いといわれている。「はっしゃん式理論株価」を用いた成長の根拠は45ページを参照。

（業績など）
売上高
営業利益
経常利益
当期利益
1株益
時価総額
※2期分
（2023年度は予想も含む）

売上高、営業利益、経常利益、当期利益の単位は「百万円」

寸評（10倍化する可能性の根拠など）

※データは各社決算短信などを元に作成、時価総額は2023年4月7日の株価に当時の発行済み株式数を掛けて算出。

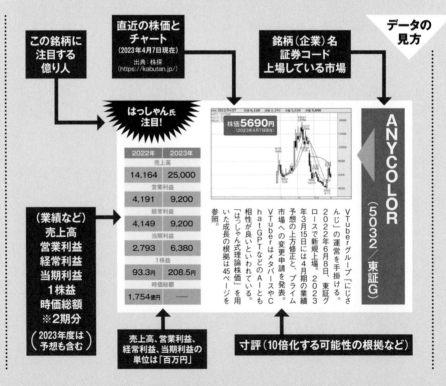

ANYCOLOR（5032／東証G）

はっしゃん氏注目！

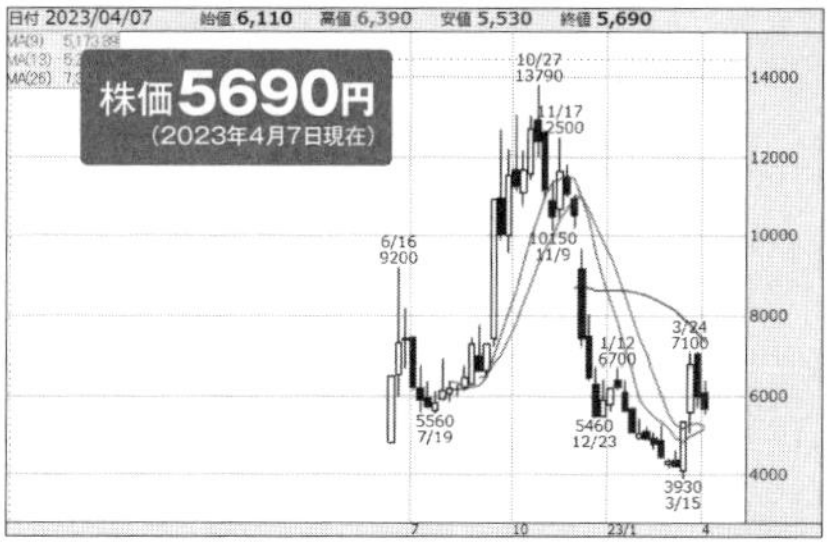

2022年	2023年
売上高	
14,164	25,000
営業利益	
4,191	9,200
経常利益	
4,149	9,200
当期利益	
2,793	6,380
1株益	
93.3円	208.5円
時価総額	
1,754億円	──

ＶＴｕｂｅｒグループ「にじさんじ」の運営を手掛ける。２０２２年６月８日、東証グロースで新規上場。２０２３年３月15日には４月期の業績予想の上方修正と、プライム市場への変更申請を発表。ＶＴｕｂｅｒはメタバースやＣｈａｔＧＰＴなどのＡＩとも相性が良いといわれている。「はっしゃん式理論株価」を用いた成長の根拠は45ページを参照。

エスプール（2471／東証P）

はっしゃん氏注目！

2022年	2023年
売上高	
26,650	28,288
営業利益	
3,091	3,620
経常利益	
3,118	3,596
当期利益	
1,809	2,427
1株益	
22.9円	30.7円
時価総額	
470億円	──

コールセンター等への人材派遣を軸に、障がい者雇用の支援などを行う。２０１８年から２０２２年４月まで株価が上昇するが、業績好調にもかかわらず、その後急落。背景には同社の障がい者支援事業に対して否定的な報道があったことなどがある。成長株が割安に購入できる時期にはこうしたリスクも考慮し選択する必要がある。「理論株価」を用いた分析は48ページを参照。

はっしゃん氏注目!

テイツー（７６１０／東証S）

2022年	2023年
売上高	
26,848	31,255
営業利益	
1,303	1,557
経常利益	
1,316	1,603
当期利益	
1,499	1,002
1株益	
22.3円	15.5円
時価総額	
108億円	―

中古トレーディングカードの総取引量が増えて資産価値が上がり、業績と株価が連動して上昇。株価が上がり始めた２０２２年６月頃から、前年同月比の月次売上が１２０％超になり、その後も毎月１００％を超える。ファンダメンタルズの裏付けがあり、理論株価より実際の株価が下回っているので、割安と判断できる。「理論株価」を用いた成長の根拠は49ページを参照。

はっしゃん氏注目!

きずなホールディングス（７０８６／東証G）

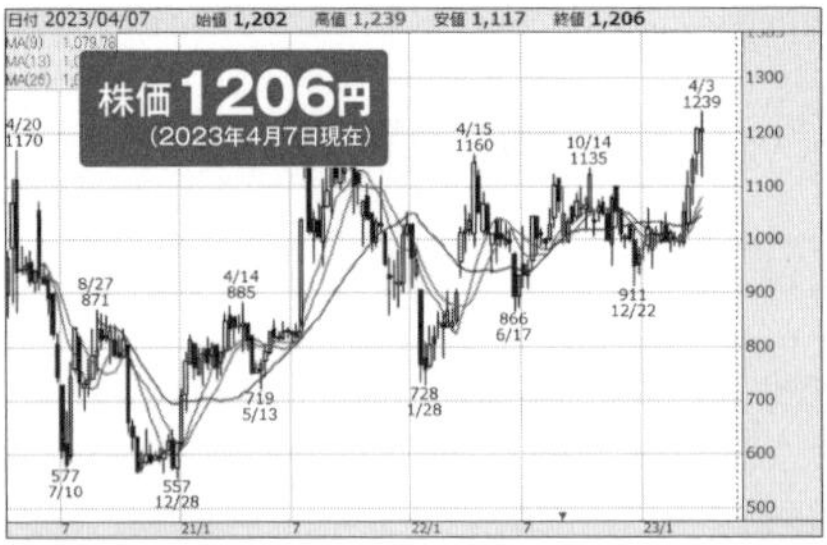

2022年	2023年
売上高	
9,270	10,200
営業利益	
1,072	1,220
経常利益	
897	1,020
当期利益	
598	660
1株益	
86.9円	95.7円
時価総額	
83.2億円	―

葬儀施行や葬儀付帯業務などを手掛ける。同社の強みは家族葬に特化していること。新型コロナの影響で大規模な葬儀は敬遠されることになり、身内だけの家族葬が増えたことも追い風。長期投資する上での問題は、日本中いたるところにある葬儀場と競合する同社が今後も継続して成長できるかということ。「理論株価」を用いた成長の根拠は51ページを参照。

アイスタイル（3660／東証P）

愛鷹氏注目!

2022年	2023年
売上高	
34,401	40,000
営業利益	
-453	500
経常利益	
-593	170
当期利益	
-571	30
1株益	
-8.0円	0.4円
時価総額	
443億円	―

化粧品など美容関連の大手ECサイト「@（アット）コスメ」の運営に加えて、実店舗での小売りが主力事業。コロナ禍の収束ムードを受けて外出の機会が増えると、若年層の支持が高い化粧品が大きく伸びそう。アマゾンの大規模な出資を受け、今後はアマゾンの中でより集客力の高いコスメ販売プラットフォームを展開する見込みであることも注目点。

unerry（5034／東証G）

愛鷹氏注目!

2022年	2023年
売上高	
1,446	1,953
営業利益	
74	212
経常利益	
71	205
当期利益	
143	125
1株益	
46.0円	36.1円
時価総額	
140億円	―

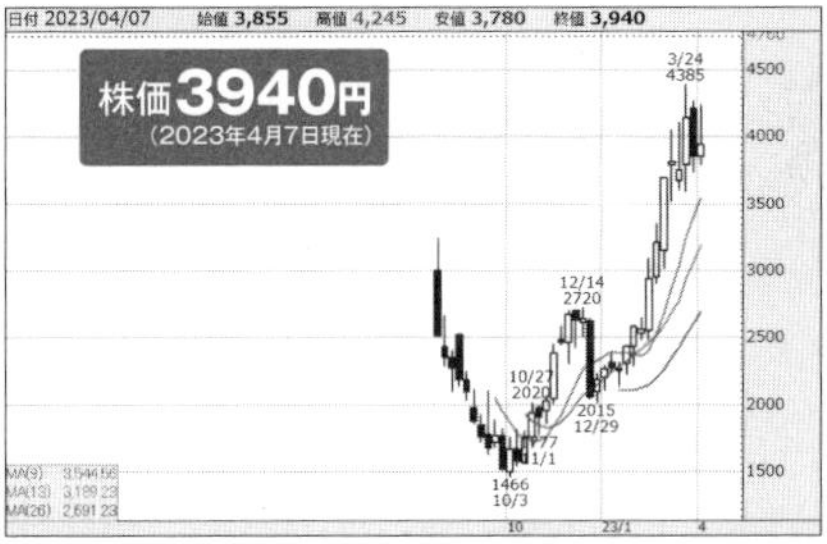

スマホアプリで取得した人流データによるビッグデータプラットフォームを運営。データを解析し、行動データを活用した小売業や公共施設などへのコンサルティングを行う。同業他社の上場もなく、先行者メリット大。NTTデータや米国の大手IT企業シスコ・システムズとの連携ができている点も、同社が優れた技術力を持つ会社であるという裏付けになる。

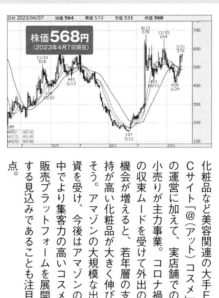

愛鷹氏注目！

プログリット（9560／東証G）

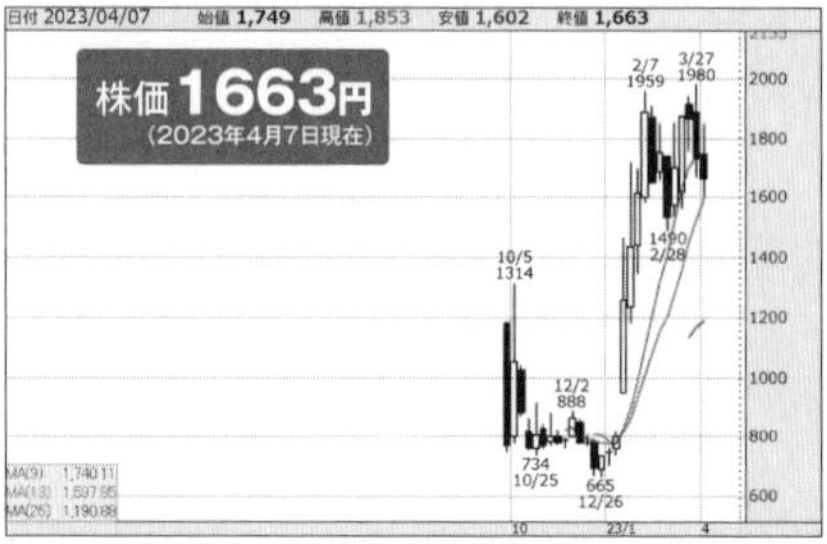

英語コーチングサービス、サブスクリプション型英語学習サービスを提供。利用者の課題に合わせたカリキュラムを作成して学習をサポートしている。世界がコロナ禍以前の状況に戻りつつある中、英語学習を始める人が増えているが、同社のサービスは大手企業への提案が順調でビジネス利用が伸びており、海外出張するビジネスマンが増えてくればさらに伸びそう。

	2022年	2023年
売上高	2,252	2,900
営業利益	326	460
経常利益	320	450
当期利益	187	300
1株益	54.4円	78.8円
時価総額	63.8億円	―

愛鷹氏注目！

青山財産ネットワークス（8929／東証S）

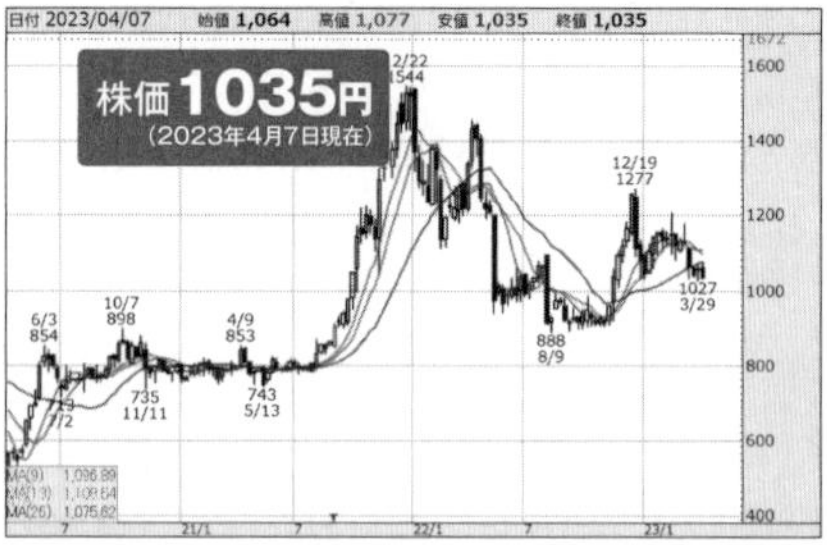

収益不動産を買い集め、小口化して主に富裕層の顧客へ販売するＲＥＩＴのような商品「アドバンテージクラブ」と、資産家への財産・相続コンサルティングを行う。全国の富裕層を顧客として抱えており、特にアドバンテージクラブの組成と販売のサイクルが非常に順調。相続関連の鎌倉新書（６１８４）が２０２２年３月から株価を伸ばしているのも心強い。

	2022年	2023年
売上高	35,952	39,500
営業利益	2,629	3,300
経常利益	2,499	3,050
当期利益	1,694	1,980
1株益	69.8円	81.5円
時価総額	254億円	―

ジャパンワランティサポート（7386／東証G）

テンバガー投資家X氏注目!

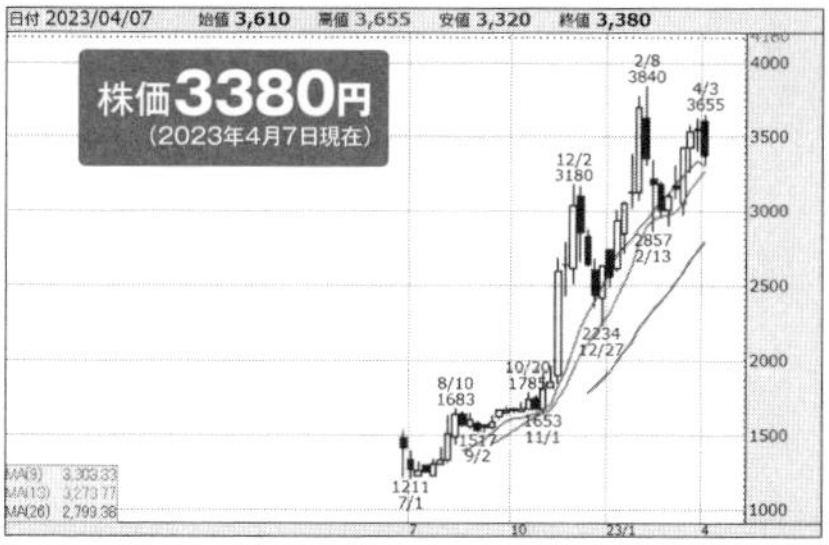

「あんしん修理サポート」をはじめとする住宅設備機器の延長保証サービスを展開。売上の約7割がストック型なので、継続的に収益が得られる期待が持てる。提携先は、住宅設備メーカーや住宅設備機器の商社、大手ハウスメーカー、マンションのデベロッパー、家電量販店、住宅仲介事業者、リフォーム事業者などで、ヤマダ電機のウエートが高い。

	2022年	2023年
売上高	1,446	1,711
営業利益	555	603
経常利益	550	659
当期利益	358	428
1株益	176.8円	196.0円
時価総額	75.3億円	―

日本リビング保証（7320／東証G）

テンバガー投資家X氏注目!

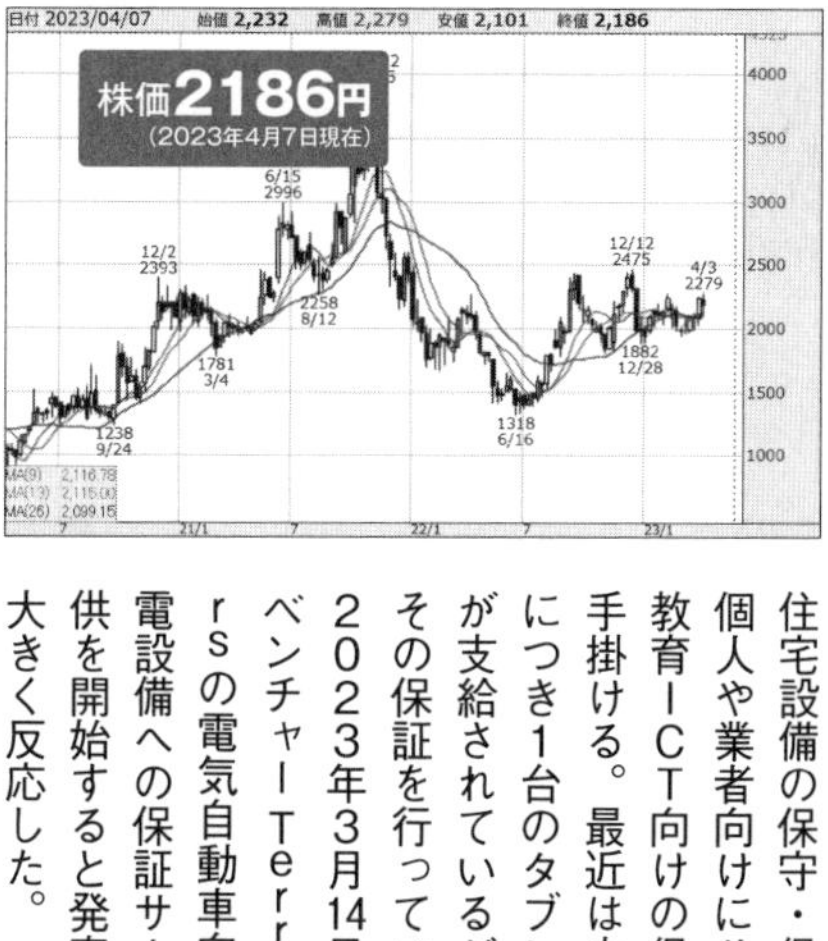

住宅設備の保守・保証業務を個人や業者向けにサービス、教育ICT向けの保証なども手掛ける。最近は小学生1人につき1台のタブレット端末が支給されているが、同社はその保証を行っている。また、2023年3月14日にはEVベンチャーTerra Motorsの電気自動車向けEV充電設備への保証サービスの提供を開始すると発表、株価が大きく反応した。

	2022年	2023年
売上高	3,305	3,953
営業利益	650	860
経常利益	767	1,010
当期利益	546	685
1株益	109.5円	137.2円
時価総額	112億円	―

グッピーズ（5127／東証G）

テンバガー投資家X氏注目!

医療・介護・福祉に特化した人材サービスと、健康管理アプリを活用したヘルスケアサービスを手掛け、会員数、求人数共に伸びている。人材不足の歯科衛生士や歯科医師などの人材紹介サービスも展開。医療系の人材ビジネスは高額設定の成果報酬型が主流となっているが、グッピーズはクリック課金方式なので、医療機関にとっては低予算で人材を集められることがメリット。

2022年	2023年
売上高	
1,850	2,355
営業利益	
470	603
経常利益	
484	601
当期利益	
342	420
1株益	
114.1円	121.2円
時価総額	
102億円	—

FPパートナー（7388／東証G）

テンバガー投資家X氏注目!

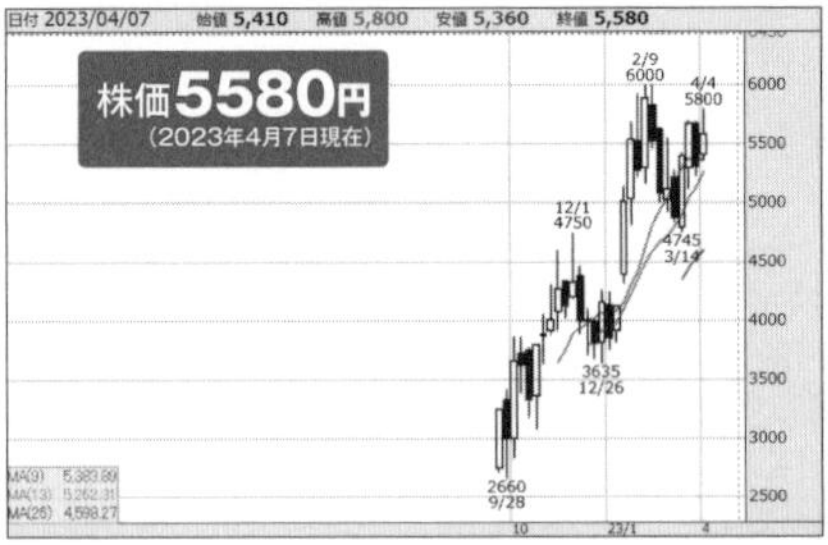

無料FP相談サイト「マネードクター」の運営、金融商品に関するファイナンシャル・プランニング業務、生命保険・損害保険に関するマーケティング及びそのコンサルティング、保険代理業（生命保険・損害保険）を手掛ける。多くのFP（ファイナンシャル・プランナー）を抱えており、多店舗展開型のビジネスモデルで業績を拡大していくことが期待される。

2022年	2023年
売上高	
25,605	29,397
営業利益	
3,824	4,413
経常利益	
3,813	4,435
当期利益	
2,366	2,749
1株益	
230.1円	239.1円
時価総額	
642億円	—

テンバガー投資家X氏注目!

ココルポート（9346／東証G）

障害者総合支援法に基づく障がい福祉サービス事業を手掛ける。具体的には、障がい者を対象にした就労移行支援、就労定着支援、自立訓練支援サービスなどを提供。2023年3月31日東京グロース市場に上場。過去5年間にわたり、売上・利益が拡大。まだ東京など一部の大都市での展開に限られており、全国にネットワークを拡大していく期待も高まる。

2022年	2023年
売上高	
4,176	5,235
営業利益	
380	656
経常利益	
372	643
当期利益	
258	450
1株益	
80.8円	137.8円
時価総額	
174億円	―

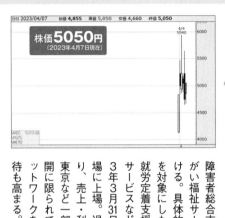

キリン氏注目!

アピリッツ（4174／東証S）

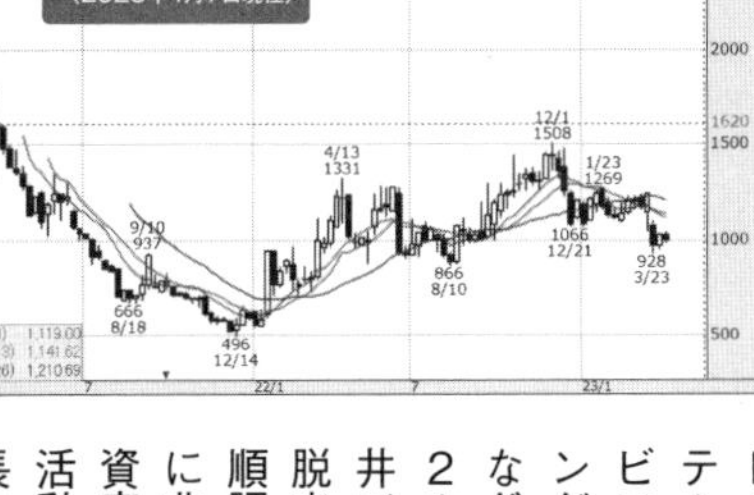

ECサイト構築やWebシステム開発など各種Webサービスの企画・運営、オンラインゲームの企画・開発・運営などを手掛ける。株価は2021年2月のIPO直後が天井で、その後はレンジ相場を脱出できていないが、業績は順調に伸びており、また、IRに非常に積極的な会社で、投資家への認知・理解を深める活動に注力されている。少し長いスパンで成長を待ちたい。

2022年	2023年
売上高	
4,795	7,323
営業利益	
233	462
経常利益	
220	445
当期利益	
109	210
1株益	
28.4円	52.2円
時価総額	
41.1億円	―

i-plug（4177／東証G）

キリン氏注目!

2022年	2023年
売上高	
3,041	3,711
営業利益	
367	−462
経常利益	
370	−469
当期利益	
253	−532
1株益	
65.1円	−135.4円
時価総額	
43.1億円	──

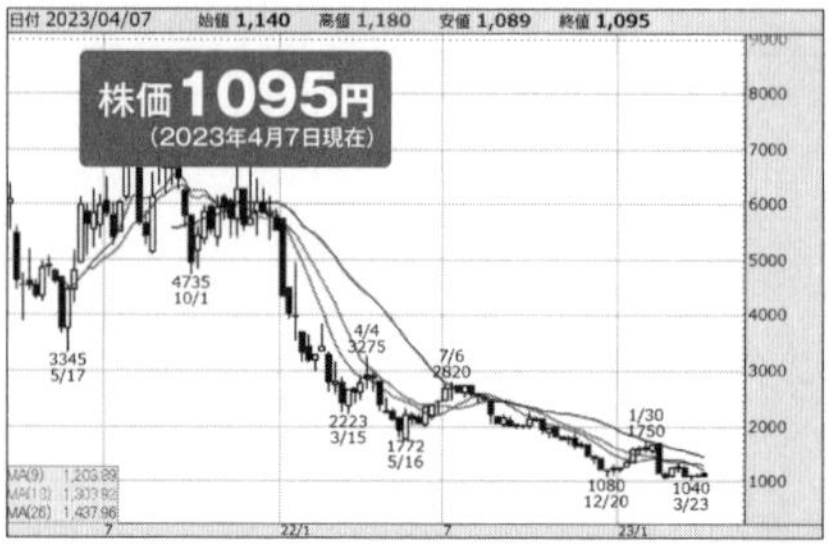

新卒ダイレクトリクルーティングサービス「ＯｆｆｅｒＢｏｘ（オファーボックス）」シリーズを運営。２０２１年３月に上場して以降も、投資先行のフェーズを脱しておらず、２０２３年３月期は赤字決算となる見込み。株価はさえないが、売上は順調に伸びており、同業のワンキャリア（４３７７）が業績と株価が足並みをそろえるように上昇している点も心強い。

セック（3741／東証P）

とりでみなみ氏注目!

2022年	2023年
売上高	
6,560	7,300
営業利益	
1,062	1,180
経常利益	
1,107	1,240
当期利益	
780	860
1株益	
152.6円	168.8円
時価総額	
166億円	──

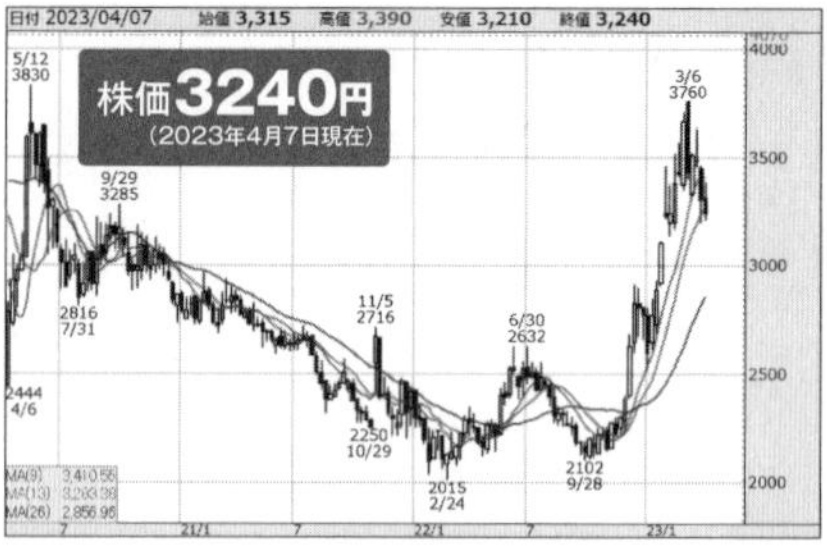

社会公共分野・先端分野のリアルタイムソフトウェア及びソリューションを提供。「はやぶさ」など宇宙関係のソフトウェア開発を受託。宇宙関連予算の総額が大幅に増額されるなど政府・関係省庁の宇宙政策推進が追い風。宇宙分野はまだまだフロンティアであり、今後の市場の拡大が期待される。セックは時価総額１７０億円程度で、宇宙関係の売上比率も高い。

第2章

『四季報』＋独自理論でテンバガーを発掘!!

タイパ重視の成長株投資！『四季報』の速読と理論株価チャートで10倍株を発掘！

私の投資手法は成長株への長期投資です。買った後は、マイナスにならず、成長が続く限りは、ほったらかし。株価が10倍になるまで待つだけです。売買はほとんどしません。10倍株の候補選びは、業績が持続的に成長可能かどうかで判断します。情報源として活用しているのは『会社四季報』や決算書ですが、タイパ（※）最重視のスタイルです。『四季報』は全ページを1時間、決算書は1社につき3分の速読で、投資候補をリストアップします。さらに私が開発した理論株価チャートを使えば、割安な成長株選びが簡単にできます。株価は会社の業績とは関係なく上がったり、下がったりしますが、業績がよく、優れたビジネスモデルの会社に割安な時期から長期投資できれば、その中から10倍株へと成長するものが出てきます。

▶ はっしゃんさん

ITエンジニア兼業投資家として割安成長株に長期投資するスタイルで1億円を達成。現在は独立・起業して「初心者にも持続可能な株式市場の実現」という理念のもと、専門的な金融知識なしで利用できる株式入門サイト「株Biz」を監修・開発。理論株価や決算通信簿、月次情報など独自の投資コンテンツを配信する。投資家VTuberとしてマネー誌、投資メディア、SNSでも活動し、ビジネス著書累計10万部、Twitterフォロワー数7万人、YouTubeチャンネル登録数1.7万人。

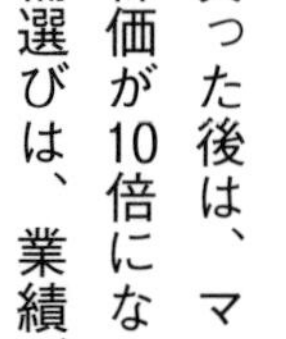

Twitter
@trader_hashang

（※）タイパ＝タイムパフォーマンス

タイパ重視で資産を倍増させる、割安成長株への長期投資

私はかつて、ＩＴエンジニアとして上場企業で働いていました。その頃、会社の持株会に入ったのが株式投資のきっかけです。平成のバブルが崩壊した後の金融危機の頃で、１９９７年に山一證券が自主廃業に追い込まれるなど、混乱した時代でした。当然、株式相場も暴落していましたが、私は逆に、株式に興味を持ち始めました。

それは単純に、「株価が安い今のうちに買えば、大きく増やせるのではないか」という逆転の発想でした。１００万円くらいの手持ち資金を株式に投入して投資を始めたのですが、ビギナーズラックで資金はすぐに2倍になりました。気をよくして少し前のめりになり、しばらく株式投資に熱中しました。

当時の手法はチャート重視で、業績は『四季報』を見る程度、値動きを中心に見て投資していました。しかしその後はあまり成果も得られず、株価の動きが気になって仕事に影響が出始めたため、「これはまずい」と考え直し、投資の勉強を始めました。**日々の値動きに一喜一憂しないためには、正しい知識を身に付け、根拠を持った長期投資を行うべき**と考えたからです。

以後はチャートだけでなく、業績の推移や決算、ＰＥＲ（株価収益率）やＰＢＲ（株価純資産倍率）、配当利回りなどの指標も見て投資するスタイルに変えていきました。そして月次情報との出会いをきっかけに、「成長株への長期投資」という投資手法にたどり着きました。長期投資ですから頻繁に売買する必要もなく、本業の仕事に影響することもありません。

一般的には、長期投資というと、バリュー株（割安株）や高配当株をイメージしがちです。しかし現実には、ずっと割安のままの株もたくさんありますし、成長の鈍化を高配当施策でカバーしているような会社もあります。そういう割安株の中から10倍株が出現する確率は、あまり高くありません。

成長株投資は、売上や利益が右肩上がりで成長していく、将来を期待された企業への投資です。分析や売買は最小限でタイパが高く、投資した時間に比例して、成果を狙うことができるため、忙しいサラリーマン投資家の方にお勧めの方法です。

月次情報で成長しているかを見極める

成長株を見極める方法について、私は特に投資本を読んで勉強したりはしませんでした。私が参考にしたのは、ファンダメンタルズ分析について情報発信していた個人投資家のブログや『四季報』、そして決算書です。特に決算書は、たくさん読みました。

『四季報』や決算書からわかるのは、「**成長している会社は売上と利益が伸びていく**」ということです。売上が2倍になり、利益が2倍になれば、理論上の株価も2倍になります。あとはどのようにしてその銘柄を先回りして発掘するかということです。

私は幸運にも、決算情報をいち早く入手する方法を発見しました。きっかけとなったのは、2001年9月11日のNY同時多発テロでした。このときの暴落では、私の持ち株も大きく値を下げてしまいました。

当時は旅行会社のエイチ・アイ・エス（９６０３）に興味があってウオッチしていたのですが、同時多発テロの影響で株価は暴落し、連続ストップ安となりました。しかし、そのときエイチ・アイ・エスのホームページで業績をチェックしていたら、偶然にも同社が「月次情報」を発信していることに気づいたのです。

当時はまだ、月次情報は投資家からあまり注目されていませんでした。しかし、エイチ・アイ・エスをきっかけに他社も調べてみると、意外に多くの会社が月次情報を出していたのです。

月次情報をもとに、売上や利益を毎月見ていれば、業績の進捗度合いがわかります。そして月次の業績が好調で、次の決算は目標を上回りそうだとわかったら、他の投資家に先回りして買うことができます。

月次情報を発表している会社なら、毎月の数字を見て目標を上回っているかどうかを確認できますので、次の四半期に目標を超えるかどうかを予想することが可能になります。

つまり、月次情報を見て決算を先回りして買えば、株価が上昇する前に買えることに気づいたのです。

さらに、月次情報に着目するようになったことで、**好業績が続いている成長期間では、株価が上昇しすぎてバブル化しない限りは、ほったらかしで長期投資できる**ことにも気がつきました。

そこでまず、ＩＴバブル崩壊後の割安な成長株で、かつ月次の決算が好調な銘柄に、先回りして投資してみました。その結果、２年ほどで資産が１億円を超えました。

●図1　ゼンショーHDの株価推移

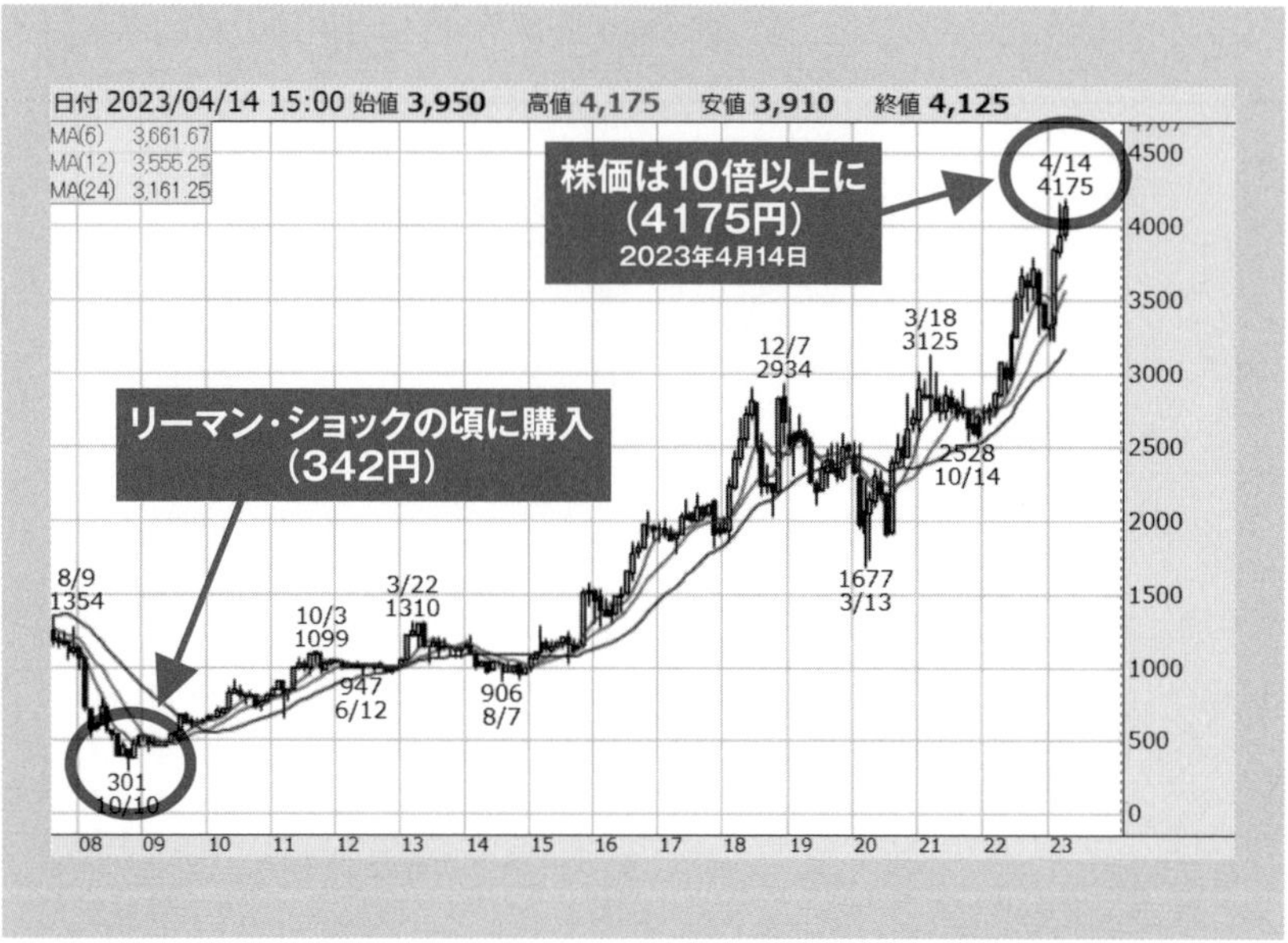

出典：株探（https://kabutan.jp/）

当時チェックしていて後にテンバガーを達成したのが、「すき家」などを展開しているゼンショーホールディングス（7550、以下、ゼンショーHD、図1）です。

NY同時多発テロの時期、もう1つ世界的に大きな出来事として「狂牛病問題」がありました。当時の牛丼チェーン売上トップは「吉野家」（吉野家ホールディングス／9861）でしたが、米国産の牛肉にこだわっていたため輸入ができなくなり、しばらく牛丼の販売を休止していました。

一方、「すき家」は米国産にこだわらず、牛肉の輸入元を柔軟にオーストラリア産などに変えて「安心できる牛丼」を販売したのです。そこが転換点になって「すき家」が「吉野家」に代わって業界トップになりました。

実際に私が買ったのはリーマン・ショックで急落したときでしたが、そこから14年以上の間、持ち続けて現在の株価は約12倍です。

10年以上というと、それなりに長い投資期間ですが、数年未満でテンバガーになるような銘柄に巡り会うのは難しく、運も大きく影響します。しかし10年以上の長期スパンで投資をすることで、成長株が10倍株になる可能性は高まっていきます。そして月次情報を見ることで、その会社がまだ成長を続けているか、成長が鈍化したので売るべきかという判断もできますので、成長倒れリスクを回避することもできます。

最近では新型コロナなど、「〇〇ショック」で相場が大きく下落したときは、業績に関係なくほとんどの銘柄は株価が下がります。しかし業績がしっかりしていて、「〇〇ショック」を乗り越えた成長企業は、その後10倍株になる可能性を多分に秘めています。したがって**相場が大きく下落したときは、むしろ10倍株を狙うチャンス**だと考えています。

このほか、私が当時買った成長株には、「蔦屋書店」を展開していたトップカルチャー（７６４０）や「無印良品」の良品計画（７４５３）などがあります。どちらも現在は成長が一巡しており、保有はしていませんが、成長期に月次情報を見ながら長期投資していた銘柄です。

私は現在も、月次情報を発信している約２９０社の月次決算を手作業で毎日集計して、それを運営サイト【株Ｂｉｚ】内の「月次Ｗｅｂ」にて、誰でも無料で見られるように公開しています。そして、月次情報を「外食チェーン」や「アパレル業界」など10種類のカテゴリー別でランキング形式にして紹介しています。「月次Ｗｅｂ」は、多くの投資家の皆さんに利用されるようになっており、「理論株価Ｗｅｂ」に次ぐ【株Ｂｉｚ】で2番人気のサイトになっています。

●図2　トップカルチャーの株価チャート

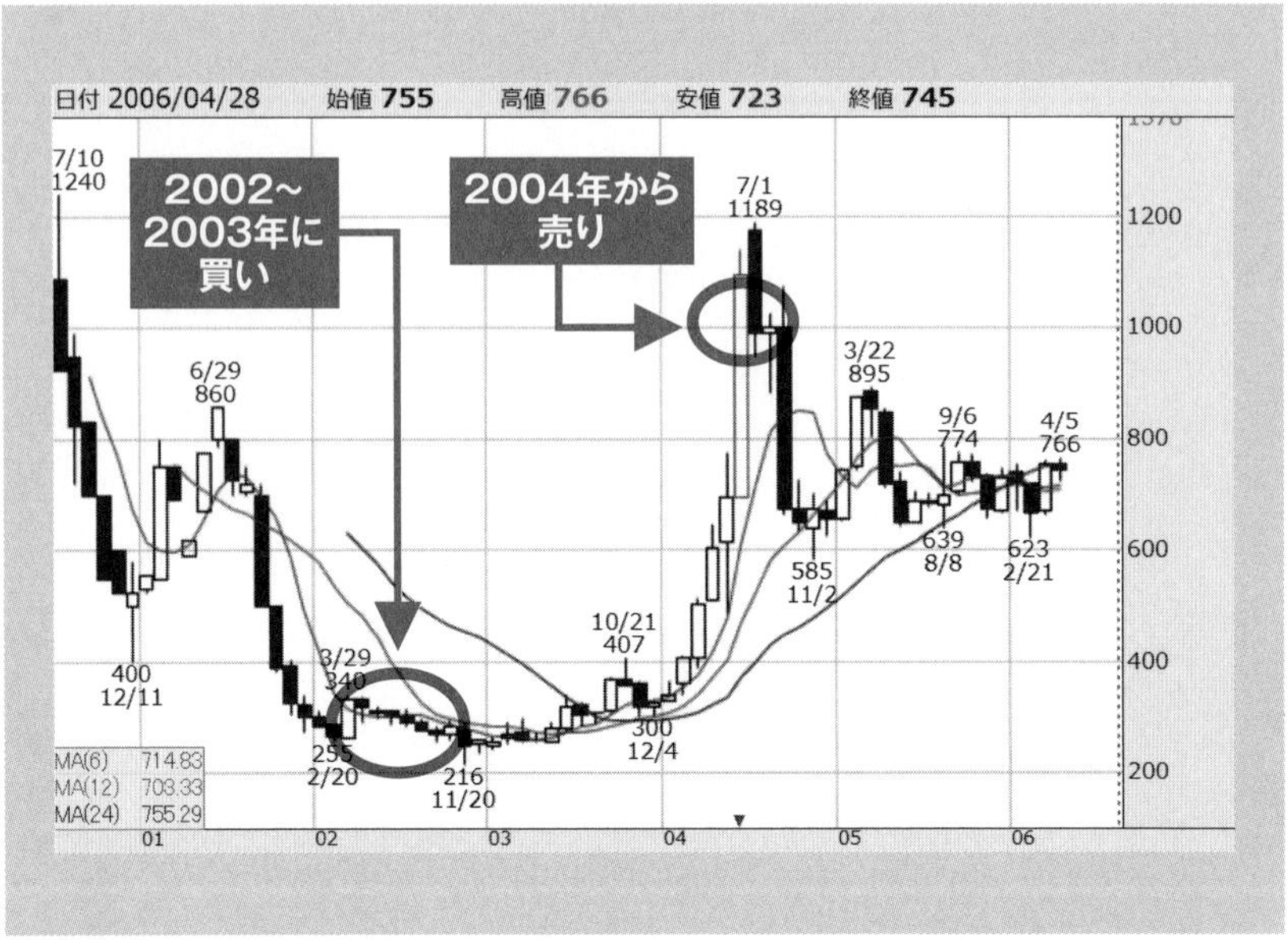

出典：株探（https://kabutan.jp/）

●図3　良品計画の月次情報チャート

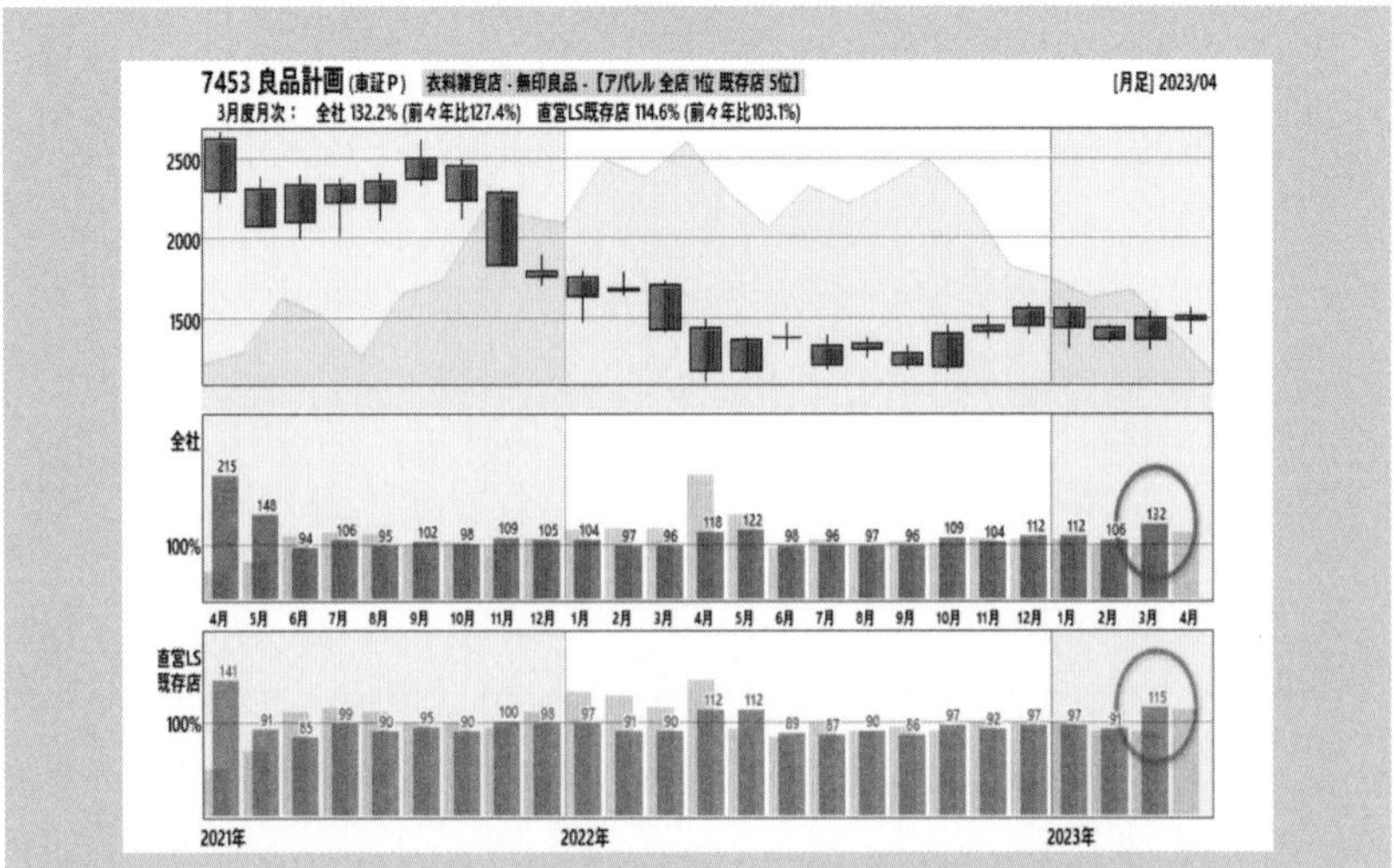

出典：月次Web（https://kabubiz.com/getuji）

月次情報で好決算を先回り投資したり、成長が続いているか判断して長期保有するという手法は、今日の私の投資手法の原点になっているものです。月次情報から、決算や未来の株価を予測して投資した経験がなければ、私の現在の投資手法である「理論株価」にはたどり着きませんでした。

次からは、月次情報から発展した理論株価の考え方と、その理論株価を用いた10倍株発掘法について説明します。

10倍株は4つのステップで発掘する

月次情報による投資手法に限界を感じ始めたのが、2006年のライブドア・ショックから2008年に始まるリーマン・ショックの頃です。成長株への長期投資というスタイルは変わりませんでしたが、全体の業績が悪化してくると、株価は思うように上がらず、「月次情報」だけでは、成長株投資の指針として確信が持てなくなってきました。

そこで考え出したのが「理論株価」という全く新しい投資指標です。理論株価とは、企業の財務情報や利益予想をもとに計算した理論上の株価です。この理論株価を使って、月次情報や決算書から業績を予測して、2年後、3年後の株価を計算することで、現在の株価と比較して、投資判断の目安とします。未来の成長シナリオを作ってしまうわけです。

私は、上場している全銘柄の理論株価を算出して、誰でも無料で見ることができるように公開しました。こうして、２００７年に「理論株価Ｗｅｂ」が誕生しました。理論株価については後ほど詳しく説明しますが、まずはこの理論株価を用いて10倍株を発掘するまでの流れを説明します。

10倍株を発掘するステップは、次の４つです。

①株価チャートが右肩上がりの銘柄をピックアップ
②増収増益が続いているかを決算チェック
③理論株価と株価が連動する割安銘柄を発掘
④未来の企業価値を計算（省略可）

これらを順番に説明していきます。

まず、①②については、誰もが行う基本的なプロセスです。問題はどのように、そしていかに効率的に銘柄を探し、チャートや業績をチェックしていくかです。

そして①、②でピックアップした銘柄の中には、すでに株価が割高になっているものもありますので、現時点で本当に割安な銘柄かどうかを判断するのに③の理論株価を用いる、という流れになります。

①株価チャートが右肩上がりの銘柄をピックアップ

私が見る株価チャートは月足で、期間は過去5年くらいまでを見ます。

●図4 『四季報』を用いた最速銘柄選び

YouTubeより

チャートを見るために私が活用しているのが、書籍版の『会社四季報』です。

『四季報』のページ上部には、約3年半の月足チャートが掲載されています。これをパラパラとめくっていき、気になる銘柄のページに付箋をどんどん貼っていきます。チャートを見るポイントは、次の3つです。

❶移動平均線が右肩上がり
❷陽線が多い
❸半年以内に最高値を更新

『四季報』には3900銘柄ほどが掲載されていますが、この3つのポイントだけに絞ってページをパラパラとめくり、付箋を貼っていけば、1時間程度でめぼしい銘柄をピックアップできます。「読む」というよりは「見る」という感覚です。

『四季報』に付箋を貼って銘柄をピックアップする方法は、『四季報』が発売されるタイミングでYouTube（https://www.youtube.com/@kabubiztv）にアップしています。付箋を貼った銘柄もわかるようにしていますので、参考までにご覧ください。この方法で毎号、少なくとも30銘柄、多いときは150銘柄程度をピックアップします。

②増収増益が続いているかを決算チェック

次に、ピックアップした銘柄の株価が、会社の業績成長とともに上昇している「成長株」か、単に期待だけで値上がりしている「一時的な人気株」かを見極めます。

成長株の条件は、「過去5年間、増収増益が続いていること」です。ただし、コロナ禍のような出来事があると景気全体が低迷してしまいますので、一期くらい減益があっても許容範囲とします。

そして、増収増益の目安は「10％以上」ですが、**「過去の実績」よりも「未来の見通し」の方が重要だ**という点です。業績は、『四季報』の業績欄でも確認することができますが、残念ながら『四季報』には、増収率や増益率が掲載されていないため、条件を満たしているのかを詳しく分析するのに時間がかかってしまいます。

私は、読者の皆さんには、まず決算書を見ることをお勧めします。といっても、決算書を読む作業も、3分程度の「速読」で済ませることができます。

見るところは決算短信の1ページ目の一番上の「売上高」と「経常利益」です。ここの数字を5年間分チェックします。5年間続けて「売上高」と「経常利益」が10％以上伸びているかを見

●図5 レーザーテックの決算短信

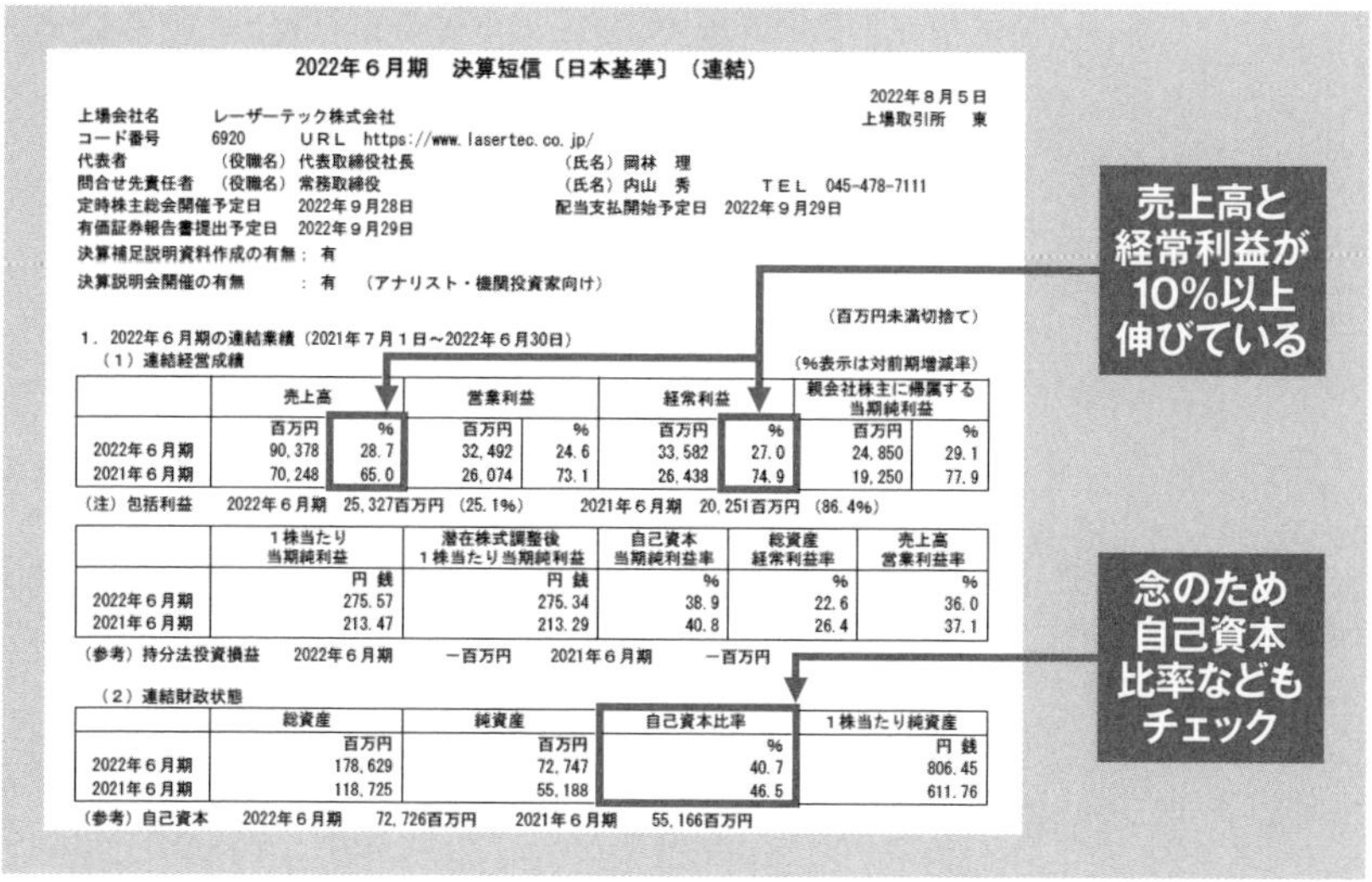

2022年６月期　決算短信〔日本基準〕（連結）

2022年８月５日

上場会社名　レーザーテック株式会社　上場取引所　東
コード番号　6920　ＵＲＬ　https://www.lasertec.co.jp/
代表者　（役職名）代表取締役社長　（氏名）岡林　理
問合せ先責任者　（役職名）常務取締役　（氏名）内山　秀　ＴＥＬ　045-478-7111
定時株主総会開催予定日　2022年９月28日　配当支払開始予定日　2022年９月29日
有価証券報告書提出予定日　2022年９月29日
決算補足説明資料作成の有無：有
決算説明会開催の有無　：有　（アナリスト・機関投資家向け）

（百万円未満切捨て）

１．2022年６月期の連結業績（2021年７月１日～2022年６月30日）
（１）連結経営成績　（%表示は対前期増減率）

	売上高		営業利益		経常利益		親会社株主に帰属する当期純利益	
	百万円	%	百万円	%	百万円	%	百万円	%
2022年６月期	90,378	28.7	32,492	24.6	33,582	27.0	24,850	29.1
2021年６月期	70,248	65.0	26,074	73.1	26,438	74.9	19,250	77.9

（注）包括利益　2022年６月期　25,327百万円（25.1%）　2021年６月期　20,251百万円（86.4%）

	１株当たり当期純利益	潜在株式調整後１株当たり当期純利益	自己資本当期純利益率	総資産経常利益率	売上高営業利益率
	円 銭	円 銭	%	%	%
2022年６月期	275.57	275.34	38.9	22.6	36.0
2021年６月期	213.47	213.29	40.8	26.4	37.1

（参考）持分法投資損益　2022年６月期　－百万円　2021年６月期　－百万円

（２）連結財政状態

	総資産	純資産	自己資本比率	１株当たり純資産
	百万円	百万円	%	円 銭
2022年６月期	178,629	72,747	40.7	806.45
2021年６月期	118,725	55,188	46.5	611.76

（参考）自己資本　2022年６月期　72,726百万円　2021年６月期　55,166百万円

●図6 レーザーテックの決算6年グラフ

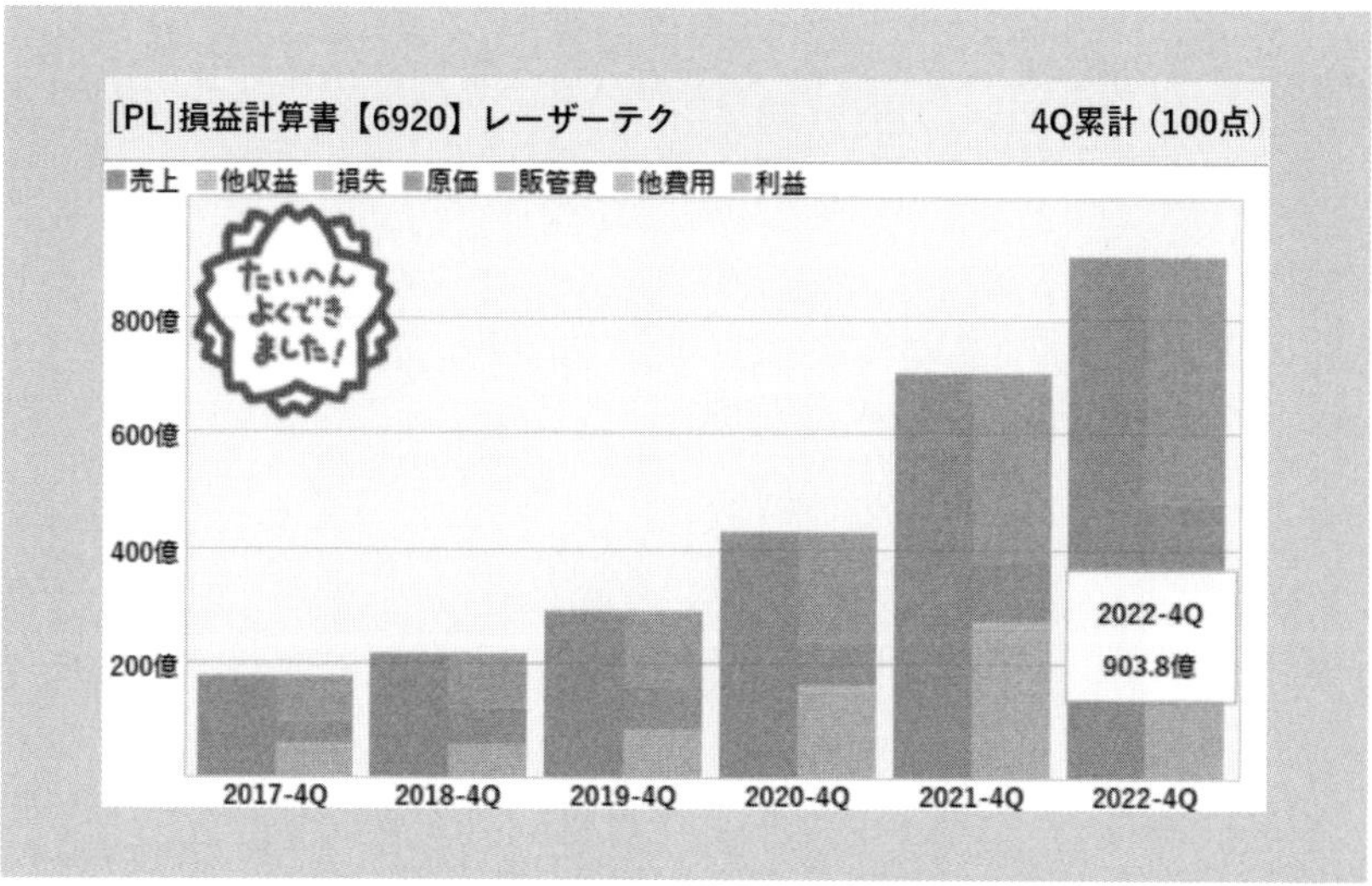

出典：決算通信簿（https://kabubiz.com/kessan/）

決算通信簿（https://kabubiz.com/kessan/）

ます。この作業は3分ぐらいでできると思います。**「売上が2倍になれば利益は2倍になり、理論上の株価も2倍になる」**、これが成長株投資の基本です。

決算書を見るポイントを、レーザーテック（6920）の2022年6月期の決算短信の例で図5に示しましたので、参考にしてください。

決算書を3分で速読できるといっても、それは、やはり難しく、面倒という方も多いでしょう。私は、そのような初心者の方のために、全銘柄の過去6年分の決算書を見える化して、0～100点で採点して、「たいへんよくできました！」から「がんばりましょう」まで5段階で評価するサイト「決算通信簿」を開発して【株B·iz】で無料公開しています。

「決算通信簿」の評価が「たいへんよくできました！」か「よくできました！」であれば、優秀な成長株です。「がんばりました！」の場合は当落ラインなので、理論株価や将来性をよく確認します。

③理論株価と株価が連動する割安銘柄を発掘

②でピックアップした銘柄の中から投資対象とする銘柄を絞り込みます。

ここで活用するのが「理論株価」です。一般的に理論株価の計算式に決まりはないので、私は独自の計算式を組み込んだ「はっしゃん式理論株価」を開発しました。

理論株価を独自に開発し、投資に応用するようになった理由は、「業績成長に比例して株価が変動している銘柄」を探すためです。4000社近い上場企業の株式の中には、理由がわからずに株価が動いている銘柄が少なからずありますが、そういう銘柄は長期投資に向かないので、除外します。

「業績成長に比例して株価が変動している銘柄」は、市場の値動きに翻弄されにくい性質を持っています。「はっしゃん式理論株価」は、こうした条件を満たす銘柄を探し出し、そこに長期投資していくためのツールです。

たとえば、図7は「毎日がお買い得」をコンセプトに低価格の食材・ＰＢ商品を販売する「業務スーパー」の神戸物産（３０３８）の理論株価チャートです。個人投資家にもわかりやすいビジネスモデルで、テンバガーになりました。

図中には、数式に基づいた理論株価の線と、理論株価を2倍した線があります。後者は、私が考える「あるべき株価の上限株価」の値です。

このチャートを見ると、神戸物産の株価は、理論株価よりも上のやや割高な位置にありますが、理論株価と上限株価の中間あたりにほぼ連動した形で推移しています。このような銘柄を選べば、企業成長に連動して理論株価が上がれば、それに伴って株価も上昇していくことが期待できます。

もっとも、神戸物産の理論株価チャートは、２０２2年以降では、業績と株価が上昇から横ばいになり、その後は、じり下げへと変化していることに注意が必要です。重要なのは、過去よりもむしろ、まだ見えていない未来の業績と株価が右肩上がりで伸びそうな銘柄を見つけることだからです。

私が運営している【株Ｂｉｚ】の「理論株価チャートＲｏｏｍ」では、銘柄ごとに過去5年間分の

●図7　神戸物産の理論株価チャート

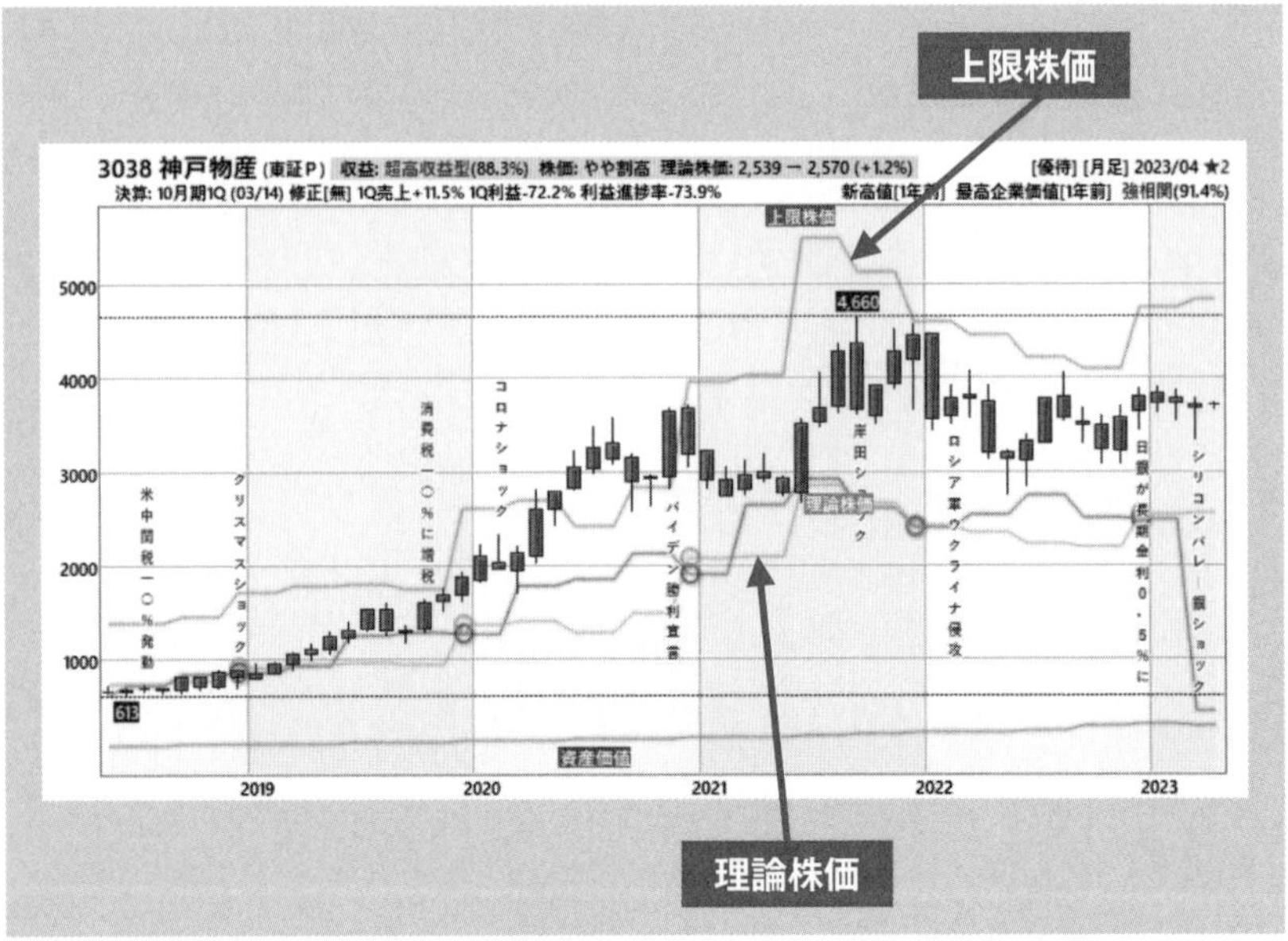

出典：理論株価チャートRoom（https://kabubiz.com/chart/）【株Biz】

理論株価チャートを掲載し、初心者の方にもわかりやすく「見える化」しています。これを見れば、決算書を調べなくても業績は理論株価に反映されていますので、増収増益が続いているかもわかります。

実際の理論株価チャートを見ながら解説します。

一番下のラインが「資産価値」、真ん中のラインが事業価値を含めた「理論株価」、上のラインが事業価値の2倍で、バブルの目安となる「上限株価」になります。

このチャートから見るべきポイントは、「理論株価が右肩上がりかどうか」「理論株価の上昇とともに株価が連動しているかどうか」「株価が理論株価と比べて高すぎず、安すぎないこと」の3点です。

理論株価が右肩上がりなのに、株価が理論株価を下回っている場合は、今後の水準訂正が期

●図8　はっしゃん式理論株価チャート

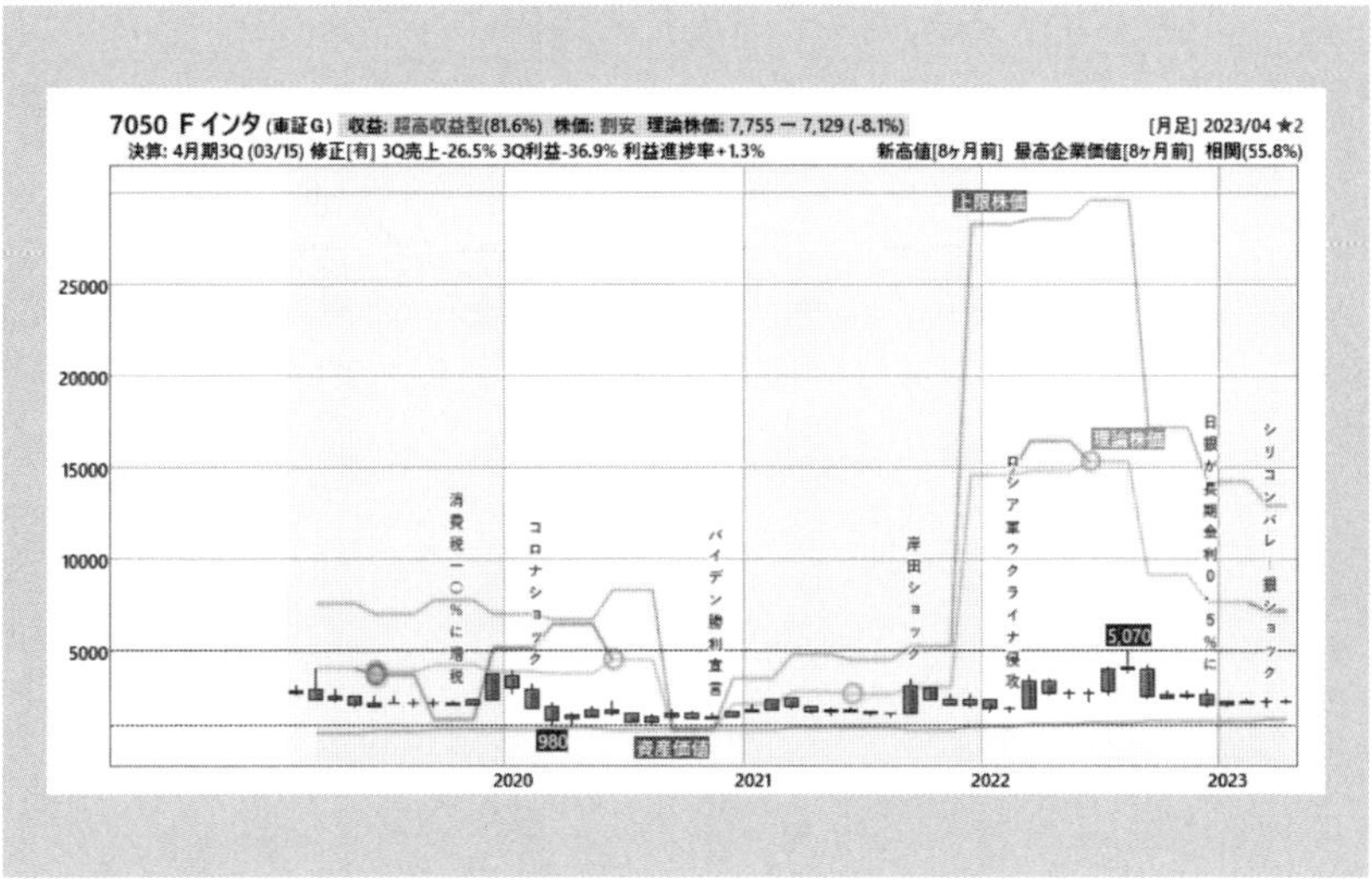

出典：理論株価チャートRoom【株Biz】

待できる可能性があります。ただし、株価と理論株価が連動していない場合には、割安そうに見えても、実際には評価されていない理由があることもあるので注意しましょう。

また、「資産価値」は株価の下値抵抗ラインとして機能します。市場から期待されていない企業は、この資産価値ラインと株価が連動します。実は一部の成長株を除いた日本株の多くは、株価が資産価値と連動して推移しています。このような銘柄も、割安に見えても、それは市場から期待されていないことを意味します。バリュー株は永遠にバリュー株として放置されることも多いので、注意しましょう。

このような視点で考えると、理論株価チャートを使って初心者の方でも投資しやすい銘柄というのは、

成長性：理論株価が右肩上がりの成長株

連動性：理論株価の上昇とともに株価が連動している銘柄
適正株価：株価が理論株価と比べて高すぎず、安すぎない銘柄
の条件に当てはまる銘柄になります。

残念ながら理論株価チャートは、【株Ｂ·ｉｚ】ですべての銘柄が無料とはなっていませんが、成長株としてピックアップした50～１５０銘柄程度のほか、決算発表の当日にＹｏｕＴｕｂｅで開催している【株Ｂ·ｉｚＴＶ】の「決算ライブ」でも無料で見ることができます。

【株B·iz TV】はっしゃん投資家Vtuber〈https://www.youtube.com/kabubiztv/〉

④未来の企業価値を計算

10倍株発掘の４ステップで、最も難しいのが、未来の企業価値を予測することです。未来の計算にも理論株価を使いますが、未来のことは理論株価チャートでは表示することができません。

この段階で使うのが【株Ｂ·ｉｚ】で無料公開している「理論株価電卓（https://kabubiz.com/funda/riron/）」や「5年後株価計算ツール（https://kabubiz.com/funda/calc/）」という理論株価の計算ツールになります。本書では、詳しく書きませんが、興味がある方は、ぜひご利用ください。

もっとも、初心者の方は、このステップ4は「なし」でも問題ないでしょう。その理由は、未来のことは、誰にもわからないからです。

最近では、「新型コロナショック」や「ロシアのウクライナ侵攻」のような想定外の出来事が発生して株価にも大きな影響を与えました。とはいえ、想定外の出来事を完全に織り込むことはできませんので、多分に「運の要素」を含むことになります。

そして、そのような**不確実な予測に必要以上の時間を使うことは、タイパが悪く、正面から向き合う価値が大きくない**と考えることもできるわけです。

私は、現在の理論株価チャートから予想できる未来図、すなわち、現在の理論株価の延長をざっくりとした未来の成長シナリオ（たとえば、今の理論株価が5年で2倍なら、次の5年でも2倍）と考えておき、将来を左右するような出来事が発生した場合には、その都度修正すればよい程度に考えています。

悪い出来事が起こったときに、未来予想図を修正するには、ある程度の経験が必要になりますが、1つアドバイスをしておくと、**できるだけ多くの決算書を現在進行形で読んでおくこと。そのとき、株価がどう動いたかを体験しておくこと**です。

焦らず、少しずつスキルアップしていきましょう。

「はっしゃん式理論株価」と「株B・iz」の誕生秘話

私が「はっしゃん式理論株価」を開発していた当時、理論株価といえば、証券会社のアナリストレポートなどで個別銘柄ごとにバラバラに算出されており、その理論値もアナリストによって大きなバラツキのあるものでした。
そのような中、私が２００７年に「理論株価Ｗｅｂ」で全銘柄の理論株価を公開して毎日更新し始めたときには、似たようなサイトはまだ存在しておらず、業界の先駆けとなる画期的なサイトだったと自負しています。

今では、大手企業が運営する類似サイトも出現してきましたが、「理論株価Ｗｅｂ」にも「理論株価チャートＲｏｏｍ」「理論株価電卓」「５年後株価計算ツール」などの姉妹サイトが誕生し、毎月数万人の投資家が訪れ、数十万ページビュー閲覧される「株Ｂｉｚ」でも一番の人気サイトになっています。

ここでは、「理論株価Ｗｅｂ」の誕生秘話についてお話しします。

私が今から18年前、２００５年12月に宝島社からムック本『はっしゃん式長期株投資』を刊行したとき、「はっしゃん式理論株価」はまだ開発途上でした。当時は、理論ＰＥＲやＰＥＲラインという考え方を使用しており、ムック本でも「ＰＥＲラインに沿って上昇する成長株を狙う」というトピックを用意していました。

これは、個別銘柄の成長率や利益率、ＲＯＥから理論ＰＥＲを定義しておき、その理論ＰＥＲと決算の１株利益（ＥＰＳ）で理論株価を決めるという考え方です。

たとえば、理論ＰＥＲが20倍であれば、１株利益（ＥＰＳ）が１００円なら、

20×100＝2000円

で2000円が理論株価になります。

また、1株利益が2倍の200円に成長すれば、同じように計算すると、理論株価は20×200＝4000円に上昇します。

2005年末の時点では、企業をPER何倍で評価すべきかという条件を一般化することができていなかったため、個別に理論PERを用いていたわけです。

しかし、2007年になって、ROEを「ROA」と「財務レバレッジ」に分解して、一定の制限を付けたものを理論PERとすると、全銘柄の理論PERを統一できるということに気が付きました。

そして、この方法で全銘柄の理論株価を計算し、有意性が確認できたので、それ以降は、この方法で理論株価を算出するようになりました。

そして、理論PERで算出するものを事業価値として、それに資産価値を加えたものを「はっしゃん式理論株価」として、今に至っています。

はっしゃん式理論株価の基本計算式：理論株価＝資産価値＋事業価値

理論株価Webで企業名または銘柄コードを入力すると、図10のような画面に移動します。左下に理論株価や上昇余地がグラフ表示されています。理論株価チャートは、【株Biz】パスポー

●図9　「理論株価Web【株Biz】」のトップ画面

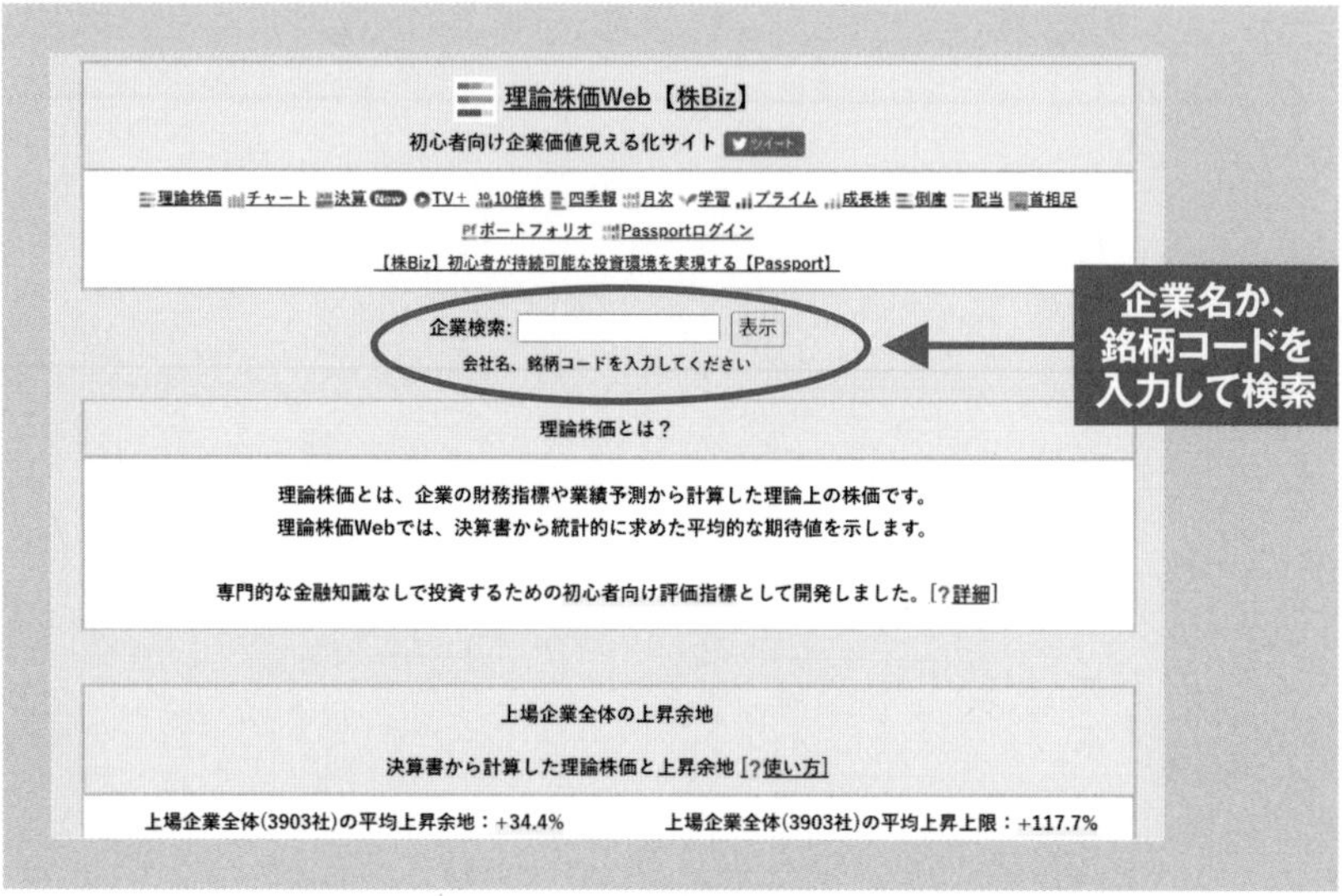

出典：理論株価（https://kabubiz.com/riron/）Web【株Biz】

●図10　「理論株価Web【株Biz】」の銘柄画面

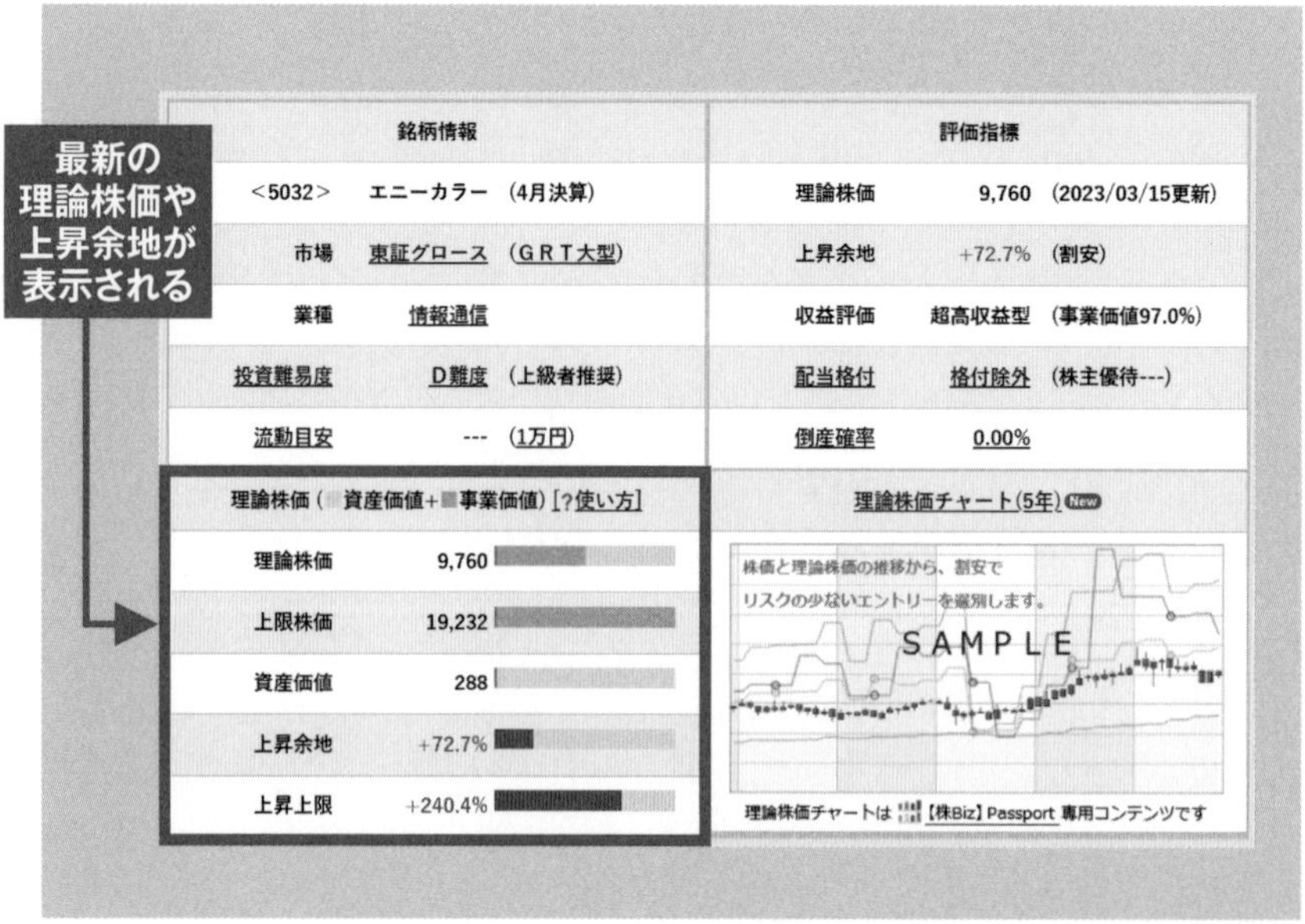

出典：理論株価（https://kabubiz.com/riron/）Web【株Biz】

ト会員のみ表示されます。

では、実際に理論株価チャートを使って注目銘柄の評価を行っていきましょう。

実例解説① ANYCOLOR（5032）

ANYCOLOR（5032）はVTuber（バーチャル・ユーチューバー）の会社です。

理論株価チャートを見る限り、一度、株価が上限株価ラインを超えてしまい、その後、急落しています。しかし、理論株価は右肩上がりで上昇しています。ある時期（IPO銘柄に特有のロックアップ解除）からは、理論株価の上昇とは逆行するように株価は下がり続けました。しかし、決算発表で上方修正があり、株価は反転してストップ高を3回記録しました。株価は理論株価よりも割安な位置から少しずつ上昇してきたように見えますが、まだ割安圏です。

この銘柄を投資対象とする場合、皆さんは、どのように考えるでしょうか?

1. 株価が理論株価まで水準訂正して理論株価に戻る可能性
2. 株価が上限株価まで大幅上昇してバブルが復活する可能性
3. 株価が暴落して資産価値まで下落するリスク
4. 3年後、5年後の理論株価が右肩上がりで上昇している可能性
5. 3年後、5年後の理論株価が成長倒れで下落しているリスク

1や2のように株価のことを考えると、どうしても株価の値動きが気になってしまうことでしょう。私は、長期投資では、あまり考えないようにしています。

一方で、3は株価下落による損失を防ぐために考慮しておきます。（損切りについては後述）4と5が成長株投資で注視していくポイントとなります。そのためには、年に4回決算をウオッチしていきます。

VTuberはメタバースやAIとも相性がよいといわれています。メタバースとはインターネット上につくられた3次元の仮想世界です。利用者はアバターと呼ばれる自分の分身でその世界に参加します。そして他の参加者とコミュニケーションをとりながら、商品・サービスの体験や販売などの経済活動を行うことができます。日常生活を送っているリアルな世界とは別の、もう1つの現実世界として生活を送れるという、映画のような仮想空間です。AIでは、米国マイクロソフトの子会社が開発した多言語型のChatGPTが注目を集めています。ChatGPTとVTuberを組み合わせると、仮想空間内ではアバターと区別が付かない仮想キャラクターを動かすことができるようになるでしょう。

メタバースやAIの進展とともに、VTuber業界が発展し続ければ、その企業価値は5年先、10年先に10倍になってもおかしくはありません。順調なら、ほったらかしでもOKですが、株価は山あり谷ありですから、監視の意味で決算期に理論株価チャートをチェックしておくとよいでしょう。

●図11　ANYCOLORの理論株価チャート

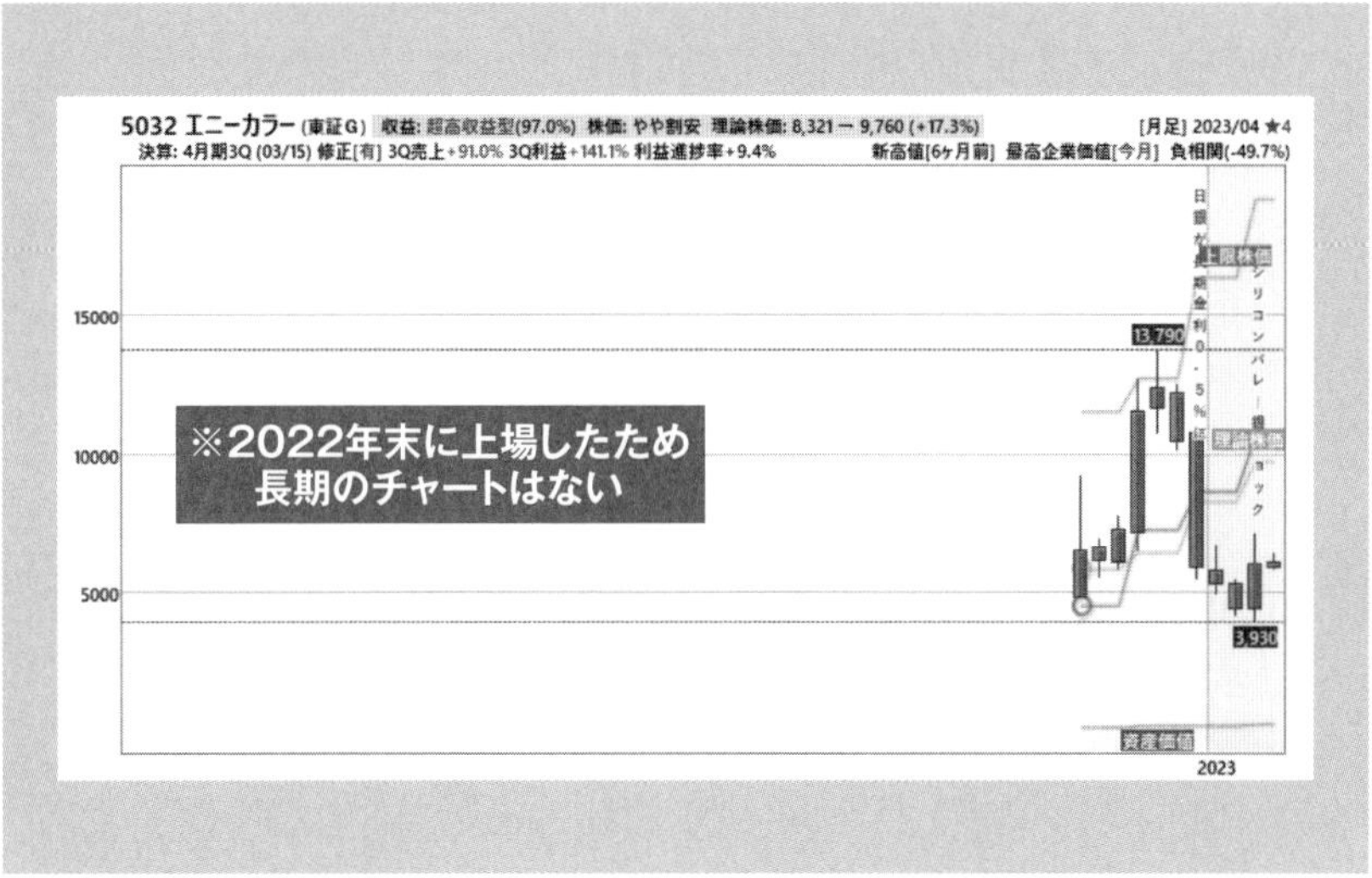

出典：理論株価チャートRoom【株Biz】

私が、ANYCOLORを見つけたのは上場時ですが、それは私自身がITエンジニアであり、VTuberでもあるということもあります。

やはり、株式投資は、知らない分野に手を出すより、自分の得意分野に投資するほうが確実です。VTuberやそれを取り巻くテクノロジーにあまり詳しくないと言う方は、せっかくの機会なので、それらを勉強した方がよいと思います。

ANYCOLORに限らず、新規上場したばかりの成長株は、一時的に株価が急騰したり、その後に急落するケースがよくあります。上場直後は、どの銘柄でも人気化しやすい傾向にありますが、**本物の成長株は理論株価が右肩上がりに上昇していきます。**そして、右肩上がりの成長が続けば、株価も復活していきますので、セカンダリーで買ったとしても、長期投資ができれば、株価が10倍以上になる銘柄は少なくありません。

●図12　エスプールの理論株価チャート

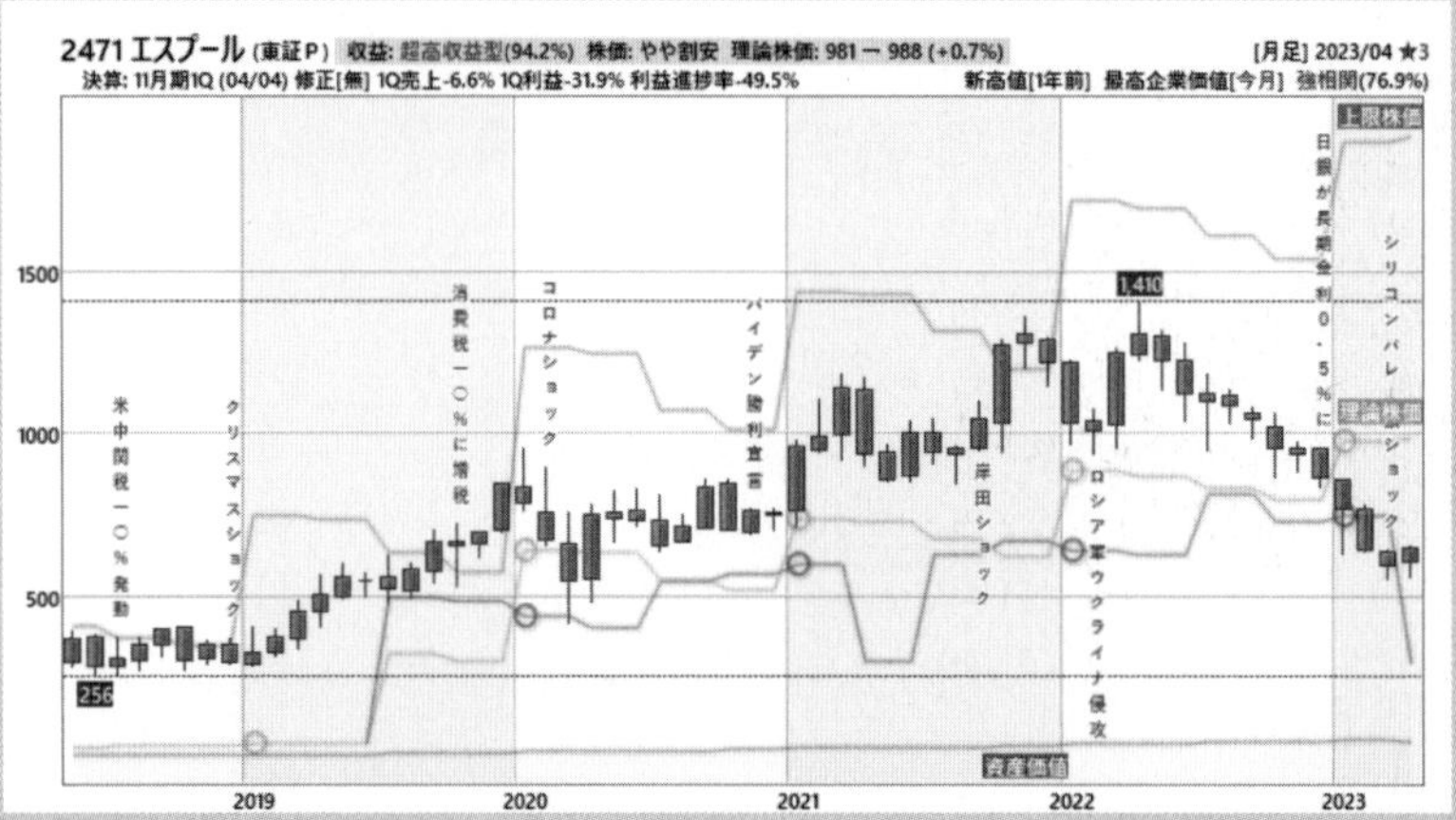

出典：理論株価チャートRoom【株Biz】

実例解説②　エスプール(2471)

ＡＮＹＣＯＬＯＲと同じような株価チャートを形成している銘柄として、コールセンター派遣や障がい者雇用のエスプール（２４７１）があります。２０１８年から２０２２年４月まで株価が上昇しており、『四季報』の付箋チェックの段階でピックアップしていた銘柄です。その後、理論株価が右肩上がりを続ける一方で、株価だけが急落となり、理論株価を大きく下回る水準まで下落してきました。

エスプールのケースでは、業績が好調にもかかわらず、株価が下落してしまった理由を確認しておく必要があります。同社のＩＲページでニュースを確認すると、障がい者雇用支援事業の農園に対して否定的な報道があったことがわかります。それは、同社の農園が、障がい者雇用を事実上代行するビジネスであるといった批判的な内容となっていて、同社はこれを否定しています。

エスプールが、障がい者雇用に貢献して事業規模を拡大してきたことは周知の事実ですが、否定的な見方も存在していたことがわかります。投資家は、これらの事象を斟酌して、割安なこの時期に投資するべきか、それともリスクを考えて敬遠すべきかを選択することになります。

1つだけ言えることは、エスプールに限らず、**成長株が割安に購入できる時期には、それなりにリスクが存在しているという事実**です。投資チャンスですが、その結果の未来がどうなっているのかは、時間が経たないとわかりません。

実例解説③ ティツー(7610)

ティツー（7610）は中古トレーディングカード（以下トレカ）などのショップを展開する会社です。最近ではポケモンカードが4億円を超えて取引されるなど、大人の趣味を超えた「資産」として、世界的にも注目されています。

この会社の理論株価も右肩上がりです。古本事業も展開していますが、最近はリユース業界全体が好調です。これはインフレになると、新品ではなく安価な中古市場が伸びるためで、服やスマホでも中古市場が拡大しています。

同社の場合、トレカの総取引量が増えて資産価値が上がり、業績と株価が連動して上がっています。月次情報を見ると株価が上がり始めた2022年8月の少し前の6月頃から、前年同月比

●図13　テイツーの理論株価チャート

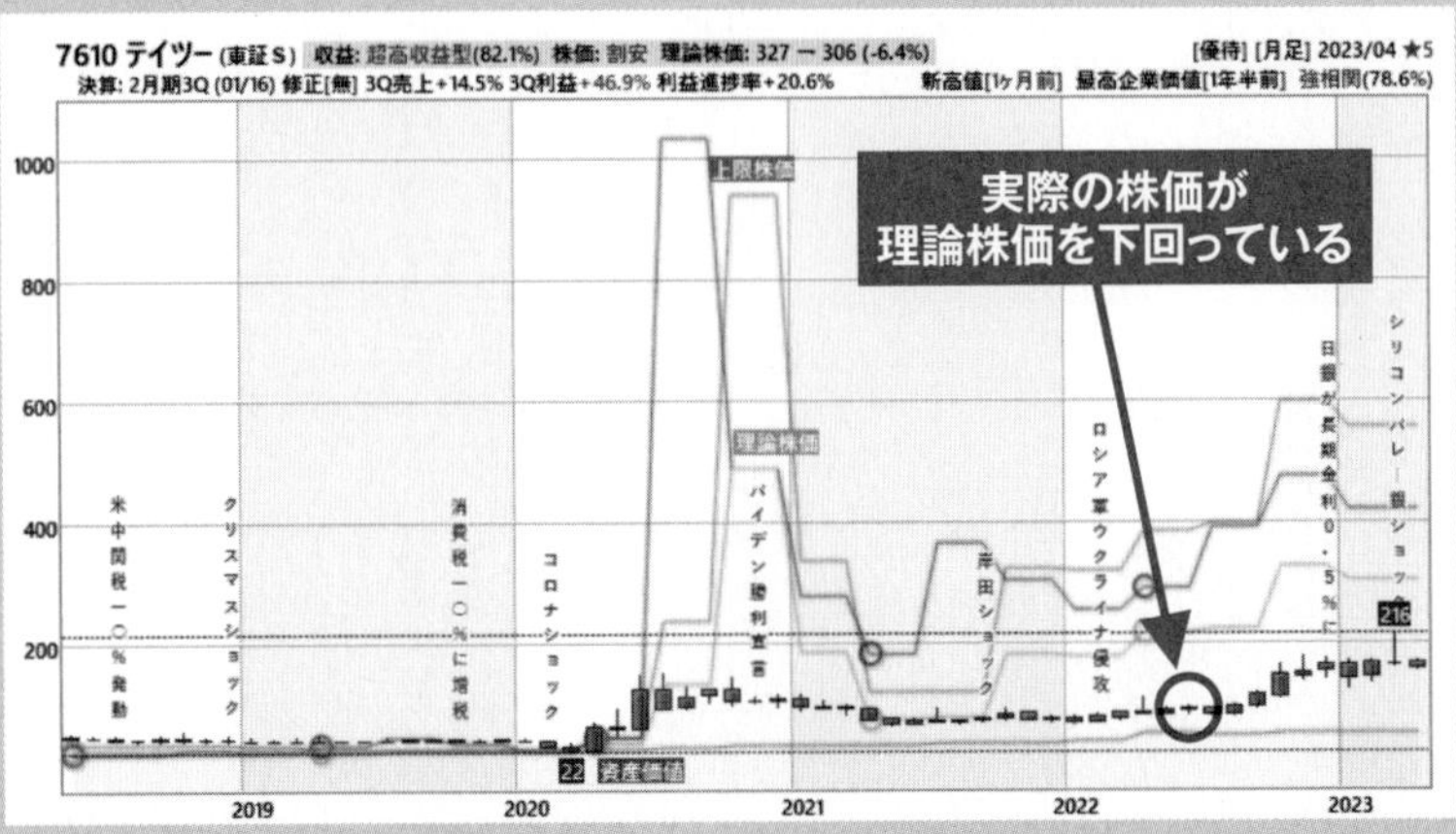

出典：理論株価Web【株Biz】

●図14　テイツーの月次情報

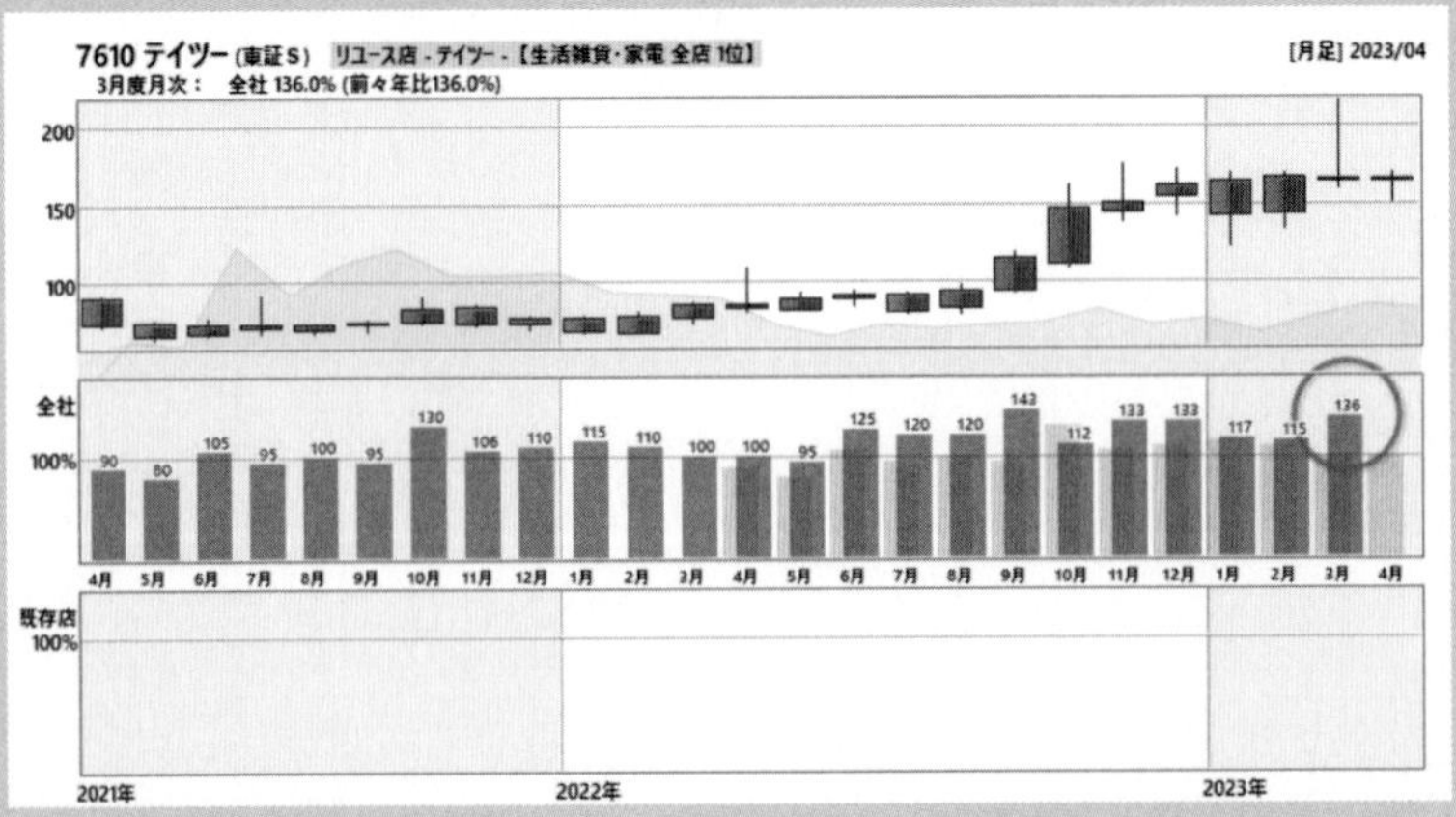

出典：月次Web【株Biz】

の月次売上が１２０％超になり、その後も毎月１００％を超えています。このように月次情報というファンダメンタルズの裏付けがあり、理論株価より実際の株価が下回っているので、割安という判断ができます。

このような銘柄を月次の好業績が続く限り長期保有すれば、大化けする可能性もあるでしょう。テイツーの場合、２０２０年には株価が22円でしたので、すでにテンバガーを達成しています。ここからさらに伸びるかは、同社の成長要因となったトレカやインフレに左右されますので、月次情報や決算をチェックしながら監視していくことになります。

コロナ禍には、倒産してもおかしくなかった古本屋さんでしたが、トレカブームの波にうまく乗ることができたのがここまでの成功の要因だと考えます。

実例解説④　きずなＨＤ（７０８６）

きずなＨＤ（７０８６）は葬儀の施行や葬儀付帯業務などを手掛ける会社です。上場以来、期待値から株価は理論株価を超えたところで推移していました。理論株価もゆるやかな右肩上がりで順調に伸びています。

しかし、２０２２年の中盤から株価は理論株価を下回るようになりました。理論株価は上昇していますので、割安になっていますが、これは四半期決算の進捗率が低迷していたためだと考えられます。理論株価チャートでは、四半期進捗率で計算した理論株価が理論株価ラインよりも下に表示されていますが、これは進捗率が会社予想の理論株価よりも低いことを示しています。

それでも、2月度の月次情報では、前年同月比が22・6％増とプラス成長が続いたことで、株価は急反発しました。今後の見通しが強気に戻ってきたようです。

同社の強みは家族葬に特化していることです。新型コロナの影響で冠婚葬祭業界は、大きなダメージを受けました。大規模な葬儀は敬遠されることになり、身内だけの家族葬が増えたことは、皆さんもご存じでしょう。長期投資するうえでの問題は、日本中いたるところにある葬儀場と競合する同社が今後も継続して成長できるかということです。

きずなＨＤの現在の株価水準は、ほぼ理論株価付近にあります。ということは、株価が10倍になるためには、単純に言えば、ここから売上と利益を10倍にする必要があります。

一方で月次情報はこのところ、＋10～20％程度で推移しています。平均すると、年15％程度の成長をしていると言えるでしょう。ここから未来予想図を作ります。普通の電卓でも計算できます。

15％の成長が2年続くと売上や利益は、1・32倍になります。3年では1・52倍。5年で2倍。10年で4倍。そして、17年後になるとようやく10倍になります。**17年後を遠い先の話で現実的でないと考えるか、長期的に考えて悪くない資産形成と考えるか**は人それぞれでしょう。でも、後者は少数派かもしれません。そこがチャンス。17年先だと思って始めても実際には数年で済むこともあります。もちろん、失敗することもありますが、私は、こういうチャレンジが好きで挑戦してきたからこそ、今があります。

●図15　きずなHDの理論株価チャート

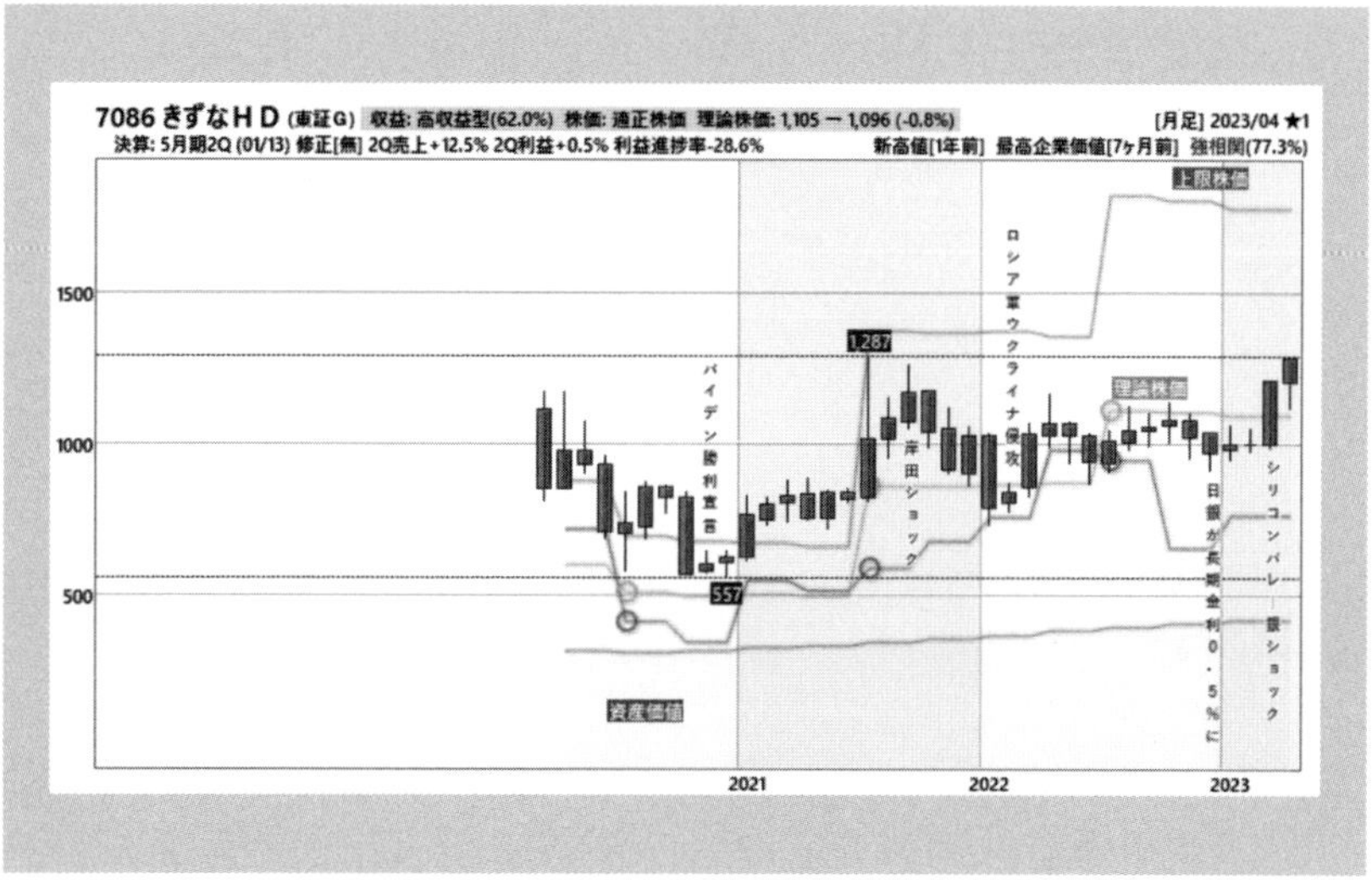

出典：理論株価Web【株Biz】

●図16　きずなHDの月次情報

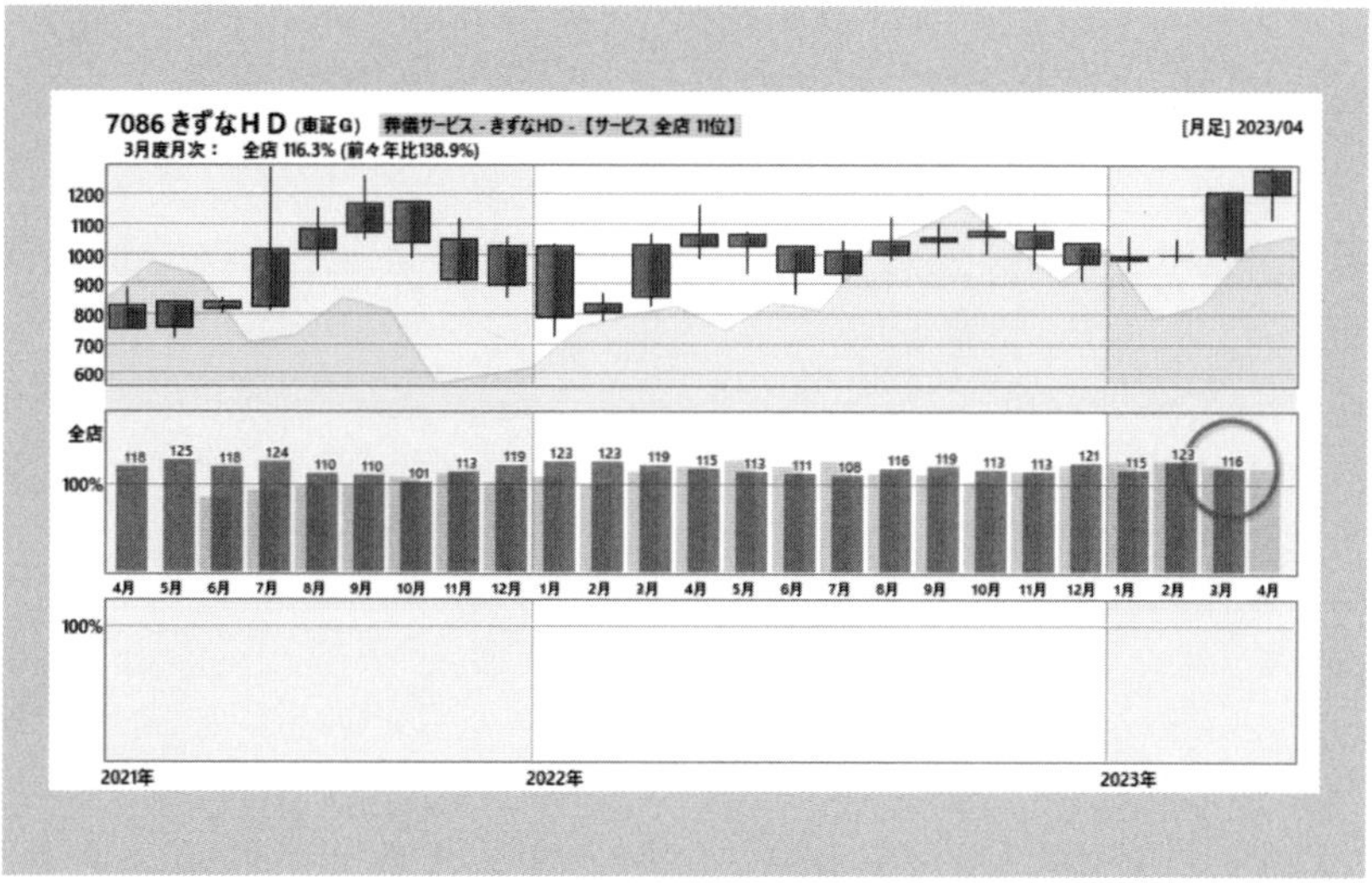

出典：月次Web【株Biz】

●図17　タカトリのテンバガー履歴

<6338>タカトリの10バガー履歴

<2020年>コロナショック基準
【10倍株CLUB】現メンバー

【現倍率】⇩14.4倍　【最大倍率】31.0倍
【最大倍率の期間】2020-03 ～ 2022-11（2年8ヶ月）
【最安値月】2020-04　【最高値月】2022-11
【高値後経過】5ヶ月　【最高値比】⇩-53.5%

<2008年>リーマンショック基準
【10倍株CLUB】現メンバー

【現倍率】⇩26.7倍　【最大倍率】57.4倍
【最大倍率の期間】2009-03 ～ 2022-11（13年8ヶ月）
【最安値月】2009-03　【最高値月】2022-11
【高値後経過】5ヶ月　【最高値比】⇩-53.5%

<2001年>ITバブル崩壊基準
【10倍株CLUB】現メンバー

【現倍率】⇩29.6倍　【最大倍率】63.8倍
【最大倍率の期間】2002-11 ～ 2022-11（20年0ヶ月）
【最安値月】2002-11　【最高値月】2022-11
【高値後経過】5ヶ月　【最高値比】⇩-53.5%

出典：10倍株CLUB（https://kabubiz.com/10bagger/）【株Biz】

10倍株CLUBで10倍株を発掘する

理論株価Ｗｅｂ【株Ｂｉｚ】には、企業価値を見える化したサイトとして「10倍株ＣＬＵＢ」があります。コロナショック、リーマン・ショック、ＩＴバブル崩壊後の３つの基準軸で株価が10倍以上に上昇した銘柄を定点観測しています。

たとえば２０２３年に株価が高騰した半導体関連企業にタカトリ（６３３８）があります。株価を見ると、コロナショックから約16倍、リーマン・ショックから約30倍、ＩＴバブルから約33倍というのがわかります。これを見て10倍株がどのように成長したかがわかります（図17）。

また、それぞれの基準軸で、「もうすぐ10倍株」や「新高値ブレイク」の銘柄をリストアップしています。10倍株は成長の過程では、新高値をどんどん更新していく傾向にあります。ここから旬な10倍株候補をリストアップするのに活用できます。

買いのタイミングは年4回の決算期

成長株の長期投資では、頻繁な売買は必要ありません。私の場合、**売買のタイミングについては、年4回の決算期のみ**に絞っています。

決算の時期は業績がよければ株価は上がる可能性が高いですが、読みが外れると大きく株価は下がります。つまり、失敗か成功かがわかりやすいということです。

買う時間帯にこだわりはありません。ただしサラリーマンの場合、相場に張り付いている時間はないと思いますので、これだと判断した銘柄があれば決算発表の朝、寄り付きで成り行き注文すればよいでしょう。

決算発表後でも上がり続ける銘柄はありますので、買うタイミングは決算発表からしばらく時間を置いた後でも構わないと思います。仮に発表後にストップ高になったとしても、10年後に10倍になることを考えれば、誤差のようなものと考えることもできます。

長期投資の視点で見れば、成長株の株価が業績とともに上昇すれば、そう簡単に元の株価には戻りません。すでに値がさ株となったユニクロのファーストリテイリング（9983）でも、20年前からすれば株価は何十倍にもなっています（図18）。

●図18　ファーストリテイリングの20年間の株価推移

出典：株探（https://kabutan.jp/）

〝損切りは常に正しい〟
1円でも値下がりしたら損切り

10倍株を狙う一方で、覚えておきたい重要なポイントが「損切り」です。いくら10倍になる株を見つけても、最終的に利益を確定しなければ、ただの絵に描いた餅に終わってしまいます。株式投資で失敗する大きな要因の1つは、損切りを見誤ることです。そのために大きな損失を繰り返し、投資資金を減らしてしまったら、10倍株銘柄の候補を買う原資もなくなってしまいます。

実は私もそういう苦い経験をしてきたので、今では「利大損小」の運用方針を厳守しています。**含み益だけを長期保有して、含み損は一切持たない**というルールです。

「損小」の損切りルールは簡単です。買った翌日以降、終値で買値より1円でも値下がりしたら損切りするのです。こうするだけで、損失は最小限に抑えられます。

損切りした原因は「銘柄選択が悪かった」「買ったタイミングが悪かった」の2つしかありません。損切りしたあと値上がることもありますが、それは買うタイミングの判断が間違っていただけです。単純にタイミングの問題であれば、時期を見て買い直せばいいだけです。

また、「銘柄選択が悪かった」場合は、それはスキル不足というほかはありません。同じ過ちを繰り返さないよう、決算書や理論株価と向き合ってスキルアップを心がけてください。

業績が傾いたら売り、10年で10倍が目安

10倍株もしくは成長株を発掘するためには、長期保有が原則ですが、利益が出ても売却を検討する場合もあります。それは次のようなケースです。

・業績（理論株価）が右肩上がりでなくなる
・株価が理論株価の上限株価を大きく超えて上昇
・目安としての3年で2倍、10年で10倍

もし業績が右肩上がりなら、株価が下がっても売る必要はありません。目安は3年で株価2倍ですが、成長スピードがあまりに遅い場合は他の成長株に乗り換えた方がよいかもしれません。

また、会社の成長に過度な期待が出てくると、株価が理論株価の上限株価を大きく超えて上昇、いわば「バブル」の状態になります。そして、バブルが弾けると、株価は高値の半値以下まで急

●図19　はっしゃん流「売り」の目安

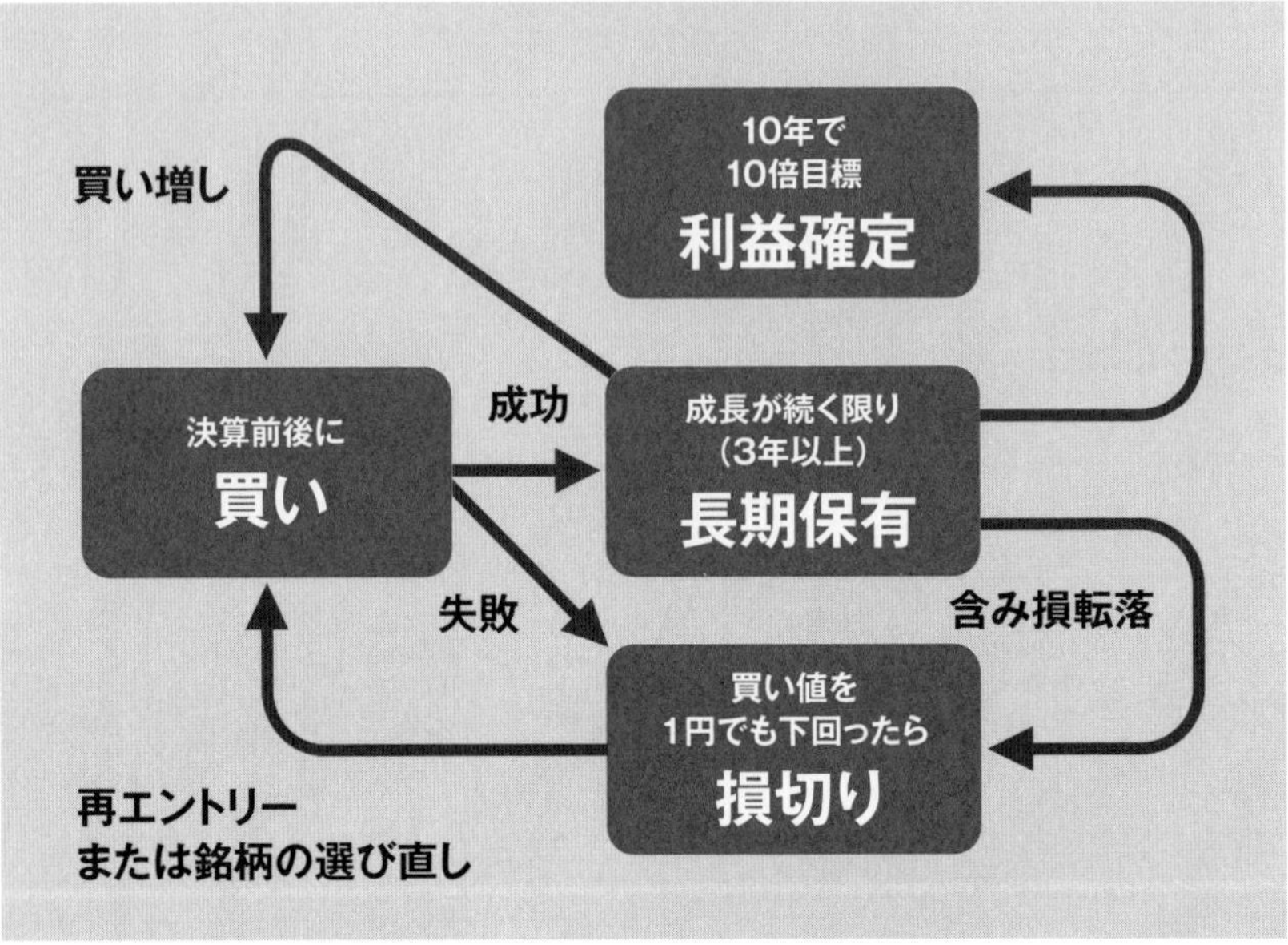

落していきますので、バブル状態の高値から株価が20％以上の下落になった場合には、いったん売って利益確定することを検討したほうがよいでしょう。最終的な目標は10年で株価10倍です。

今後の注目テーマ、ChatGPT

最後に今後の展望をお話ししておくと、今後の注目業界は、なんといってもAI（人工知能）でしょう。特にChatGPT（チャットGPT）の登場は衝撃的で、世界を変えてもおかしくありません。ChatGPTとは、米国マイクロソフトの子会社が開発したチャット形式で、まるで人間と対話しているような自然な回答が得られるサービスです。今までもチャボットなど似たようなサービスはありましたが、ChatGPTのほうが格段に性能が優れています。

たとえば、店頭の接客業でも人ではなくCh

ａｔＧＰＴと音声ソフトを組み合わせれば、コミュニケーション面では、人とほぼ変わらない接客ができます。

また、先述したようにＶＴｕｂｅｒとも相性がとてもよく、すでにＡＩ・ＶＴｕｂｅｒも登場しています。未来のコミュニケーションの相手は必ずしも人同士ではなく、ＡＩと気軽に雑談できる時代の到来を予感させます。２０００年から続いてきた人とコンピュータの対話がＣｈａｔＧＰＴで変わっていくのです。

もちろん、よい話ばかりではなく、進化しすぎたＡＩは、人の雇用を奪ったり、戦争や犯罪に利用されたりする可能性もあり、一部で利用規制の動きもあります。アップルのｉＰｈｏｎｅが誕生してから私たちの生活は一変しましたが、ＣｈａｔＧＰＴにはそれと同じくらいのインパクトを感じます。直接的にはＩＴ業界に属する分野ですが、ＣｈａｔＧＰＴを活用すればあらゆる業界で、パラダイムシフトが起こるでしょう。

それを既存の商品やサービスと組み合わせて、どう活かしていくかが今後の企業の成長の鍵になり、そこからまた新たな10倍株候補が生まれてくると思います。

はっしゃん決算書クイズ

成長フェーズの企業が赤字だったらどうする？

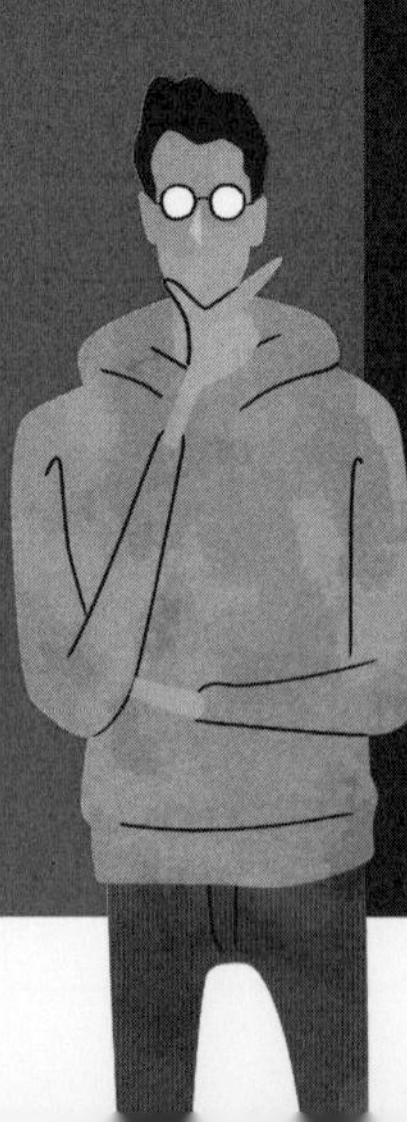

成長ベンチャーの赤字の原因を特定する

テンバガーを狙うためには、意欲的なビジネスを展開するベンチャー企業に注目していくとよいでしょう。しかし、決算書を開示しているベンチャー企業の中には、明らかに利益が出ている企業もあれば、赤字の企業もあります。赤字の企業には、しかるべき理由があります。特に成長中のベンチャー企業にはよく見られますが、赤字だからといって必ずしも事業がうまくいっていないわけではありません。

そこで今回は、フリマアプリ「メルカリ」を運営し、メルペイなどの金融サービスも展開しているメガベンチャー、メルカリを例に赤字のベンチャー企業に倒産の危険はないのかというテーマで、少し難易度が上がりますが、分析してみましょう。

図20　メルカリの財務数値の推移

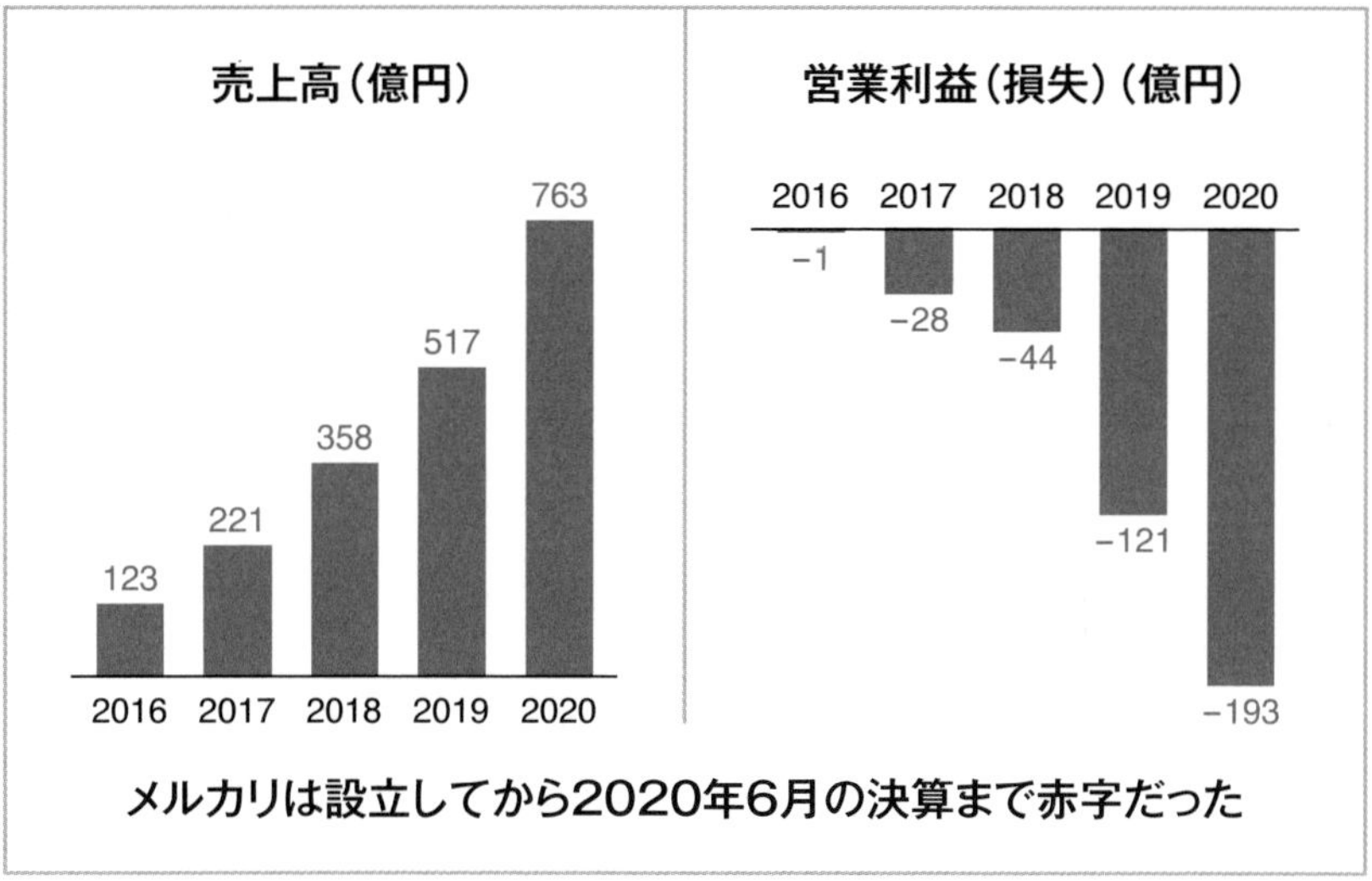

メルカリは設立してから2020年6月の決算まで赤字だった

メルカリは図20を見てもわかるように設立してから2020年6月決算までの間はずっと赤字の会社でした。

赤字というと、皆さん悪い印象を持つかもしれません。「倒産するかも」というような不安に駆られる人もいるかもしれませんが、果たして本当にそうなのでしょうか。

実際にメルカリの損益計算書を見てみると、赤字はどうやら広告宣伝費を多額に計上していることが原因とわかります。広告宣伝費が約343億円に対して営業損失が約193億円となっています。

ここで重要なのは、広告宣伝費の多くは「変動費」であるということです。つまり経営判断で止めようと思えばいつでも止めることができるという性質を持っています。メルカリの場合も、仮に広告宣伝費をゼロにしたら、すぐにでも黒字になるという計算になります。

では、なぜ赤字になるまで広告宣伝費をかけるのでしょうか？　同社の決算資料に目を通すと広告宣伝費についての言及があります。要約すると、ユーザーの新規獲得、さらに獲得したユーザーを固定化するため、広告宣伝費を多額に計上しているということが書かれています。

原因はわかりましたが、ではメルカリの場合、なぜ広告宣伝費をこれだけかけられるのか疑問に思う方もいるでしょう。

まずメルカリは、ＣｔｏＣの個人間のプラットフォームビジネスを展開しています。プラットフォームビジネスは、買い手と売り手を両方集めなければなりません。利用者が増えれば増えるほどプラットフォームの魅力は高まります。

出品者と購入者の両方を集めなければならないため、魅力的なプラットフォームであり続ける必要があります。

選ばれ続けるプラットフォームの魅力は、出品者からすれば「ちゃんと買ってくれるユーザーがいること」、購入者からすれば「出品のラインナップが多い場でさまざまな商品を満足いくまで選び比較できること」となります。

つまり、より多くのユーザーを抱えていた方がプラットフォームの魅力自体が高まるということです。より多くのユーザーを集め、プラットフォームの魅力を高め、他のサービスにユーザーが流出しないようメルカリの価値を高め続ける多額の広告宣伝費が投下されている背景には、プラットフォーム利用者を増やすフェーズ、つまり成長フェーズであるため赤字先行になっているのだ、ということがわかります。

図21　メルカリの赤字の原因はどこに?

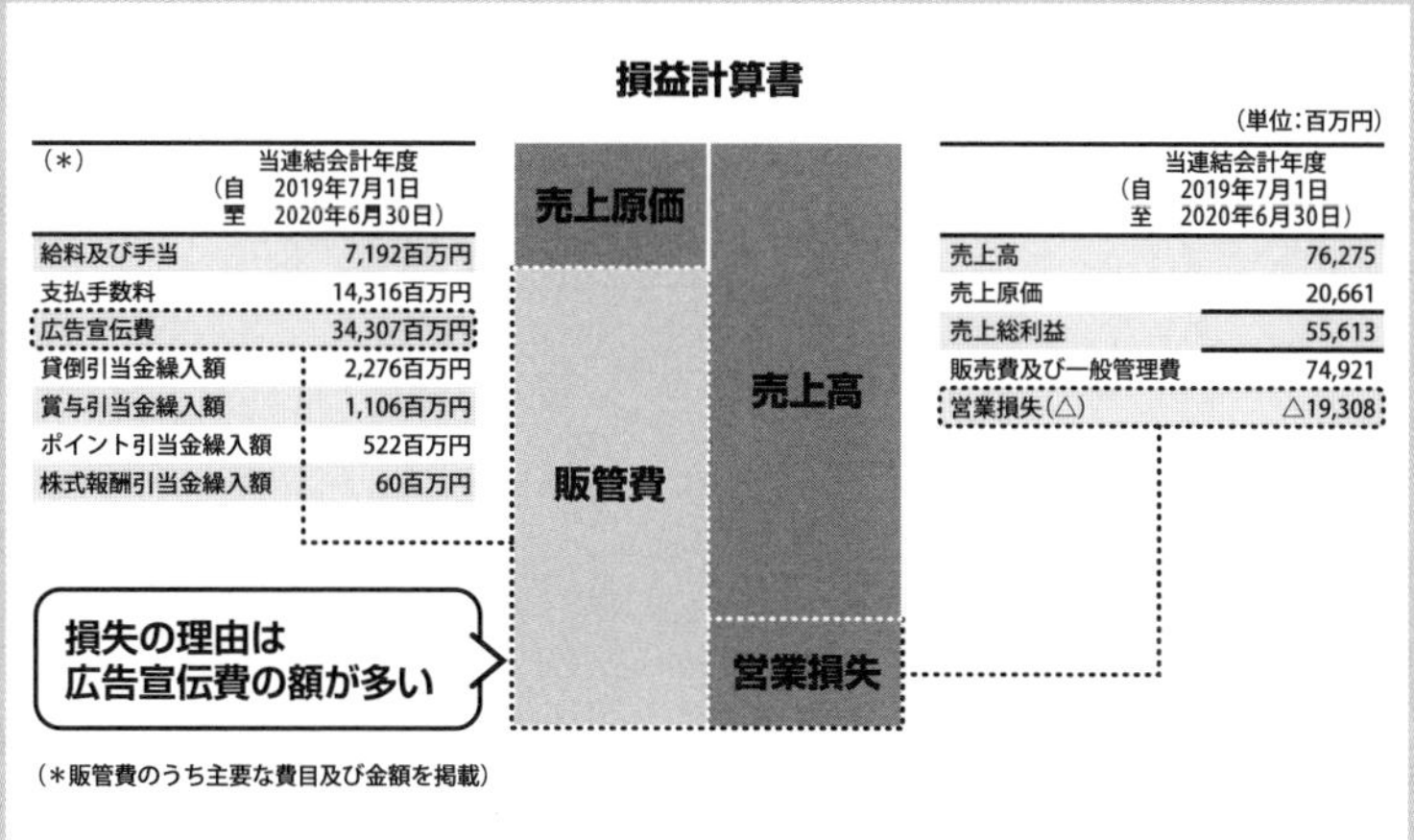

売上高よりも流通総額を重視する理由

決算説明会資料を見ると、メルカリの重要な指標が２つ開示されています。

まず１つ目がＧＭＶ（流通総額）という指標です。メルカリのプラットフォーム上で、いくら取引が行われたのかその総額を表す指標です。もう１つがＭＡＵ（マンスリー・アクティブ・ユーザー）という指標です。これは月当たりの利用者数を開示しているもので、広告宣伝費の効果がきちんとこのＧＭＶとＭＡＵに反映されているのかどうかを見るのが、メルカリの決算書を見る際には非常に重要でしょう。

費用をかけた分だけきちんと伸びているならば、広告効果が如実に出ていると読み取れます。

基本的に売上高は重要な指標ですが、プラットフォームビジネスに関しては売上よりも流通総額の方が重要となるケースが多いのです。たとえばメルカリはリリースした当初、手数料率を0%にすることによって利用者数を増やすことに専念していました。そのため創業1年は売上が1円も立っていないという状態で推移しています。売上が立っていないというのは実は目に見えないマーケティングコストの結果、売上がゼロになっているということです。

メルカリの売上の計算式を見ると、「流通総額×手数料率」が売上高になります。手数料率を0%としていたときは、売上が0円になってしまいます。そのため、売上にフォーカスしてしまうと、手数料0%のとき、その会社は一切成長していないという理解になってしまいます。

このように、企業のビジネスモデルからそのビジネスで最も重視される指標は何かに着目し、決算書を読む必要があります。メルカリのようなプラットフォームビジネスは流通総額やアクティブユーザーを重視してみるといいでしょう。

倒産の危険はないのか?

メルカリの貸借対照表を見ると、総資産の大半が現金及び預金で構成されていることがわかります。現金を非常にたくさん持っているので、しばらくは問題がないだろうと判断できるでしょう。

とはいえ次に気になるのが、多額の広告宣伝費を投下し継続的に赤字を続けていたらいつかはその現金が底をついてしまうのではないかということです。

そこでちゃんと現金が入ってきているのかを確認するために、キャッシュフロー計算書を見て

図22　売上高がゼロの秘密

(2)提出会社の経営指標等

回次	第1期	第2期	第3期	第4期	第5期
決算年月	平成25年6月	平成26年6月	平成27年6月	平成28年6月	平成29年6月
売上高　(百万円)	-	-	4,237	12,256	21,254
経常利益又は経常損失(△)　(百万円)	△24	△1,373	△1,099	3,262	4,469
当期純利益又は当期純損失(△)　(百万円)	△24	△1,374	△1,104	3,011	△6,990
資本金　(百万円)	50	885	2,065	6,286	6,286

売上高の計算式

流通総額 × 手数料率 0% ＝ 売上高 0 円

手数料率が 0%の場合、売上高も 0 円となってしまいます

図23　メルカリの貸借対照表

①【連結貸借対照表】（単位：百万円）

	前連結会計年度 (2019年6月30日)	当連結会計年度 (2020年6月30日)
資産の部		
流動資産		
現金及び預金	125,578	135,747
売掛金	1,341	1,119
有価証券	5,196	5,260
未収入金	14,176	15,612
前払費用	913	1,609
預け金	5,383	9,718
その他	319	1,614
貸倒引当金	△1,094	△1,404
流動資産合計	151,813	169,277

総資産の大半が現金及び預金
1,357億円近くの現金等を保有している

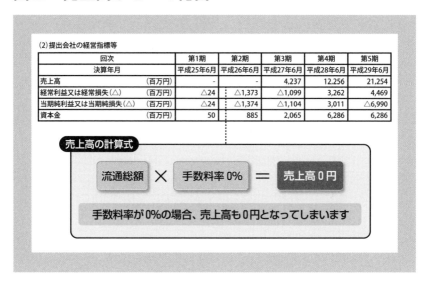

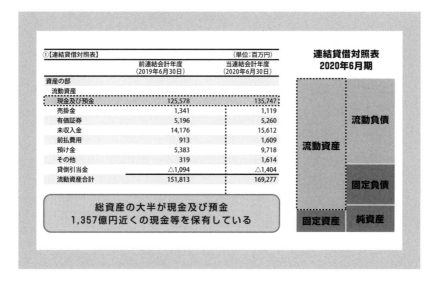

みます。すると、メルカリに本業できちんと現金が入ってくるような仕組みができていることがわかります。メルカリの特徴として損益計算書上は赤字ですが、実はキャッシュフロー計算書はちゃんと黒字になっているのです。では、なぜ赤字なのに現金は入ってきているのかというと、その理由はメルカリのビジネスモデルにあります。

出品者が物を売ってからそのお金を引き出すまで、売上金はメルカリにいったんプールされています。つまり構造上、お金が貯まりやすいビジネスとなっているのです。メルカリは基本的にユーザーを増やせば増やすほど取引が増え、取引が増えれば増えるほど預り金という形で社内にプールされる金額もどんどん貯まっていくのです。これが、流通総額の指標が重要である理由です。広告宣伝費をかけ流通総額と利用者を増やす背景はここにあります。メルカリは直近の決算を見ると、ようやく黒字化しており、戦略はかなりうまくいっているように思われます。以上のことから、赤字企業の決算書に対しては次の3点のアプローチが重要であることがわかりました。

❶なぜ赤字なのか原因を探る
❷赤字でも大丈夫なのかその企業のビジネスモデルを確認する
❸現金を持つのか、現金が入ってくる仕組みはあるのかを探る
❹決算を時系列で見て成長性を確認する

赤字だからいい悪いではなく、その原因を突き止めて、未来予想図を考えてみると本当の企業価値が見えてくるという事例でした。赤字だからいい悪いではなくその原因を探る必要があるということがよくわかりますね。

第3章

テンバガーハンターたちの目の付け所

67銘柄の10倍株を発掘したテンバガーハンターの投資道を全公開！

67銘柄でテンバガー（10倍株）を達成していることから「テンバガーハンター」と呼ばれていますが、私が目指したのは「インカムゲインの成長」です。え、10倍株なら「キャピタルゲインの成長」を目指すんじゃないの?!と思われるかもしれません。が、過去の10倍株を振り返ると67も量産できたのはインカムゲインの成長を期待してタネを蒔いたからこそ、ではと。

投資家11年生にして2・5億円に到達しましたが、私の場合は毎年の入金込みですし、入金なしに私より早く到達された凄腕の方々は多数おみえで、キャピタルゲインの成長という点では彼らに到底敵いません。私が彼らに引けを取らぬものがあるとしたらそれは、長期間保有し続けた「握力」、数々の暴落も全身で受け耐えた「忍力」、皆が注目する前にタネを探し当てる「眼力」でしょうか。本書ではこれらについてお伝えしようと思います。

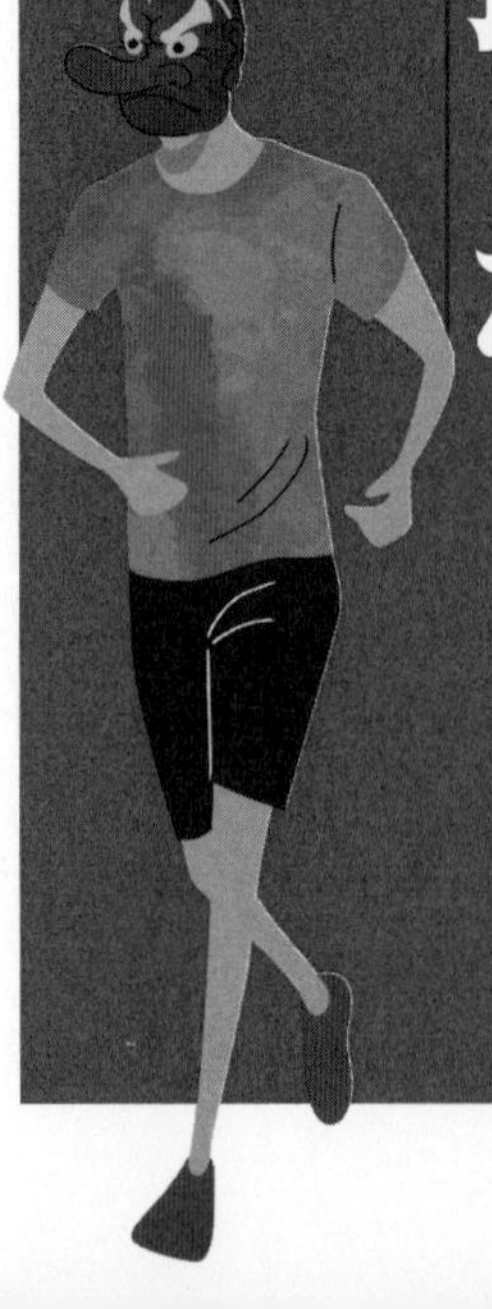

▶ 愛鷹さん

2008年に元手160万円から株式投資を始め、日本個別株を長期、分散、積立（入金）で運用し、サラリーマンながら30代にして2億5000万円の資産を築く。達成したテンバガー（10倍株）は67銘柄（2023年4月現在）。HN（ハンドルネーム）の愛鷹（あしたか）は映画『もののけ姫』の登場人物（アシタカ）が牛飼いを背負ってコツコツ山を登るシーンに自らの姿を重ね、実在する山の漢字を当て命名。メディア出演時は天狗で登場することもある。

Twitter
@minobouz

投資家15年生で運用資産2・5億円。10倍株は67銘柄

私が本格的に株式投資を始めたのは2008年8月なので、今は日本株投資家15年生です。はじめに私の投資スタイルと実績を簡単にお話しします。私の投資スタイルは、「毎日決算を読み漁る」「買ったら売らない（原則バイ&ホールド）」「分散」をひたすら繰り返し続けました。その結果、7年後の2015年には運用資産が億を超えて「億り人」となり、現在（2023年4月上旬）は資産3億円の壁に跳ね返され続け、2・5億円で停滞しています。

この15年間の日本株投資において、通算67銘柄で「テンバガー（10倍株）」を達成しました。愛鷹テンバガー（10 bagger）、以下略してATB67とし、所々でATB67の統計データをご紹介します。テンバガーはもともと米国発の投資用語で、私も投資を始めて間もない頃に目にしたことがあるくらいで、15年で67回も経験するとは夢にも思いませんでした。そこで、自分以外の投資家で10倍株をとった経験のある方々は、どのようにして10倍株を手にされたのだろうとふと思い、本書を企画させていただきました。

2020年は波瀾万丈の1年でして、コロナ・ショックによる暴落に巻き込まれ、資産が一時マイナス1億円の打撃を受けました。と思いきや、世界各国の同時多発的な金融緩和策により株式市場にお金がジャブジャブに溢れ、私の保有株でも過去最高の19銘柄で10倍株達成と大豊作の年となりました。そして、2020年末には運用来高値を更新し、終わってみれば、あの3月の急落は何だったんだと思うほどにバブルな一年でした（ちなみに私は年代的にバブルの恩恵にあ

ずかったことはありません)。そんな波乱の中、10倍株を達成する度に記念としてツイッターでつぶやいていたら、多くの方にフォローいただくようになりました。そして、今や知らない投資家はいないであろう、あの井村俊哉氏から「テンバガーハンター」という二つ名も冠され、翌2020年には自身初の書籍も出版するという貴重な経験をさせていただき、時折ラジオや雑誌でご紹介いただいています。

超分散！ 八百株屋PF(ポートフォリオ)に至るまでの軌跡

私の保有銘柄は800社を超えます。もはや日本株の八百屋、八百株屋です(へい、らっしゃい！)。なぜこんな多株主になるほどに分散するようになったのか。

株式投資は2008年開始ですが、実は2006年に資産運用を始めており、BRICsなど当時はやりの投資信託を買ってみたことがあります。世界中の株式や債券、不動産などに分散投資するポートフォリオを組みましたが、レポートを見ても言い訳めいていて、世界各国の景気が良いのか悪いのか、それが値動きに現れているのか、いまいちピンとこず投資している手ごたえを感じることができませんでした。

そこで2008年8月に160万円を握りしめ、キャピタル狙いの回転売買で爆益するぜ！と投資を始めるわけですが、買っては含み損を繰り返し、すぐさま赤字だらけの含み損PFに。

株式投資を始めて間もない頃は、リーマン・ショック後の乱高下の日々が続き、買っては下がり、売っては上がり、というトレードすればするほど損をする、まさに養分トレードでした。こんなトレードをしていてはお金が溶けてまうー、と養分トレードに見切りをつけ、株価の上下動には決算短信などの適時開示が影響することを知り、決算を読みながら好業績または株主還元率の高い銘柄を拾っては握り続ける、インカム狙いのガチホ投資の道へと舵を大きく切りました。しかし当時は資力が小さかったため、今よりは投資銘柄数も限られており、資金も一部銘柄に偏りがちで、そこに大きな落とし穴がありました。

投資を始めて１年経った２００９年に、これはイケる！と集中投資したのが、ローソンエンターメディア（２４１６、ＬＥＭ）です。ＬＩＶＥチケットなどのオンライン販売ローソンチケットを事業の柱とする企業でした。ローソンが親会社として過半の株を保有しており、当時はコンビニエンスストアが勢いよく店舗網を拡げていたこともあり、設置されるロッピーの台数も増えればローソンチケットの利用者も増え、競合他社である、ぴあ（４３３７）にも十分対抗できる規模に成長できるだろうと目算していました。そして業績が順調かつ増配の発表を確認しながら、買い増して当時の主力として集中投資していました。しかし、不意に悲しいお報せが届きます。

ＬＥＭの取締役主導でチケット代金支払代行会社による１５０億円もの不正流用が公表されたのです。株価はもちろんストップ安。２０１０年の年初は約15万円だった株価はすぐさま半値以下に下落しました。その後、不正会計の捜査が進むも株価は低迷。ＬＥＭが収益性のある事業なだけに親会社による救済措置があるかもしれない、と含み損を抱えつつも期待して待っていたところ、発表されたのは親会社ローソンによるディスカウント株式交換ＴＯＢ（約８万円）で上場廃止という期待外れのＩＲ。ローソンの株主になる気はなかったため、当時としては泣く泣く大きな損切りをした苦い思い出として記憶に刻まれています。この集中投資の痛手を経験して以降、過度に集中投資とならぬよう分散投資するようになりました。

そして、優待株や高配当株などは最低単元だけ買い集めていたのもあり、２０１３年には５０0社超の多株主に、２０１９年には８００社超の多株主になります。右肩上がりの相場ではなくなったコロナ・ショック以降は銘柄を入れ替えざるを得なくなるも、常時８００社は保有していたことから八百株屋と称し、自らデザインした愛鷹紋にも四隅に八百株屋と銘打っています。が、サラリーマンをしながらこの銘柄数を管理するのは至難の業、というか管理しきれていないのが実状です。個人的にはサラリーマンであれば、せいぜい２００社くらいが上限かなと思います。

握ること、鬼の如し

愛鷹流投資道が目指すのは、ほったらかしてもお金が増えるＰＦ。ほったらかし投資、というとインデックス連動の投資信託やインカム狙いで高配当な個別株に寄せて投資すればいいじゃないか、と思われるかもしれませんが、愛鷹流ではそこをメインに狙って投資はしません。

インカムと一言で括られていますが、インカムにも種類があると思っています。ビジネスとしては成熟期にあり、大きく業績が伸びる可能性は低いけれども安定的にインカムが得られる企業と、ビジネスとしては成長期にあり、大きく業績を伸ばして将来的にインカムも成長させそうな、株主還元に積極的な企業の2種類です。私の場合は、前者よりも後者を主に狙います。

実際に株主還元に積極的な企業の中から多くの10倍株が誕生していました。ATB67の配当に関するデータをお示ししますと、有配率92・5％で、購入株価から10倍株するまでの増配率の平均値は3・9倍（中央値3・1倍）でした。ATB67の10倍株になるまでの年数の平均値は4・8年（中央値5年）ですから、約5年で配当金は約4倍になっていることになります。ちなみに、2022年度までの増配率の平均値は8・7倍（中央値5・6倍）でした。つまり、ATB67は配当金の変化だけを見ても株主還元に積極的な企業が多かったということです。

昨今、アクティビストによる株主提案も増加傾向にあり、ガバナンスの改善が求められるケースが増えていますが、株主還元（ペイアウト）の要求は以前からあり、今でも提案数としては最多です。日本では内部留保として資金を貯め込む上場企業が非常に多く、2022年4月に経産省から非財務資本がゼロを下回る、PBR（株価純資産倍率）1倍未満（純資産＞株式時価総額）の上場企業がTOPIXにおいて約4割を占めており、改善が必要だと報告がありました。さらに、2023年3月には東京証券取引所からPBR1倍未満の上場企業などに改善策を開示・実行するように要請がありました。グローバル経済で、国内の経済・産業を育成・発展させるためには、国内外から投資マネーを呼び込み活性化させるしかありません。そのためには投資妙味のある資本政策を投資家に魅せていく必要があります。

そのためにも、配当性向を上げる、増配する、優待拡充するなど、上場企業自らが株主還元に積極的な姿勢を示し実行することで、機関・個人の投資意欲を触発し、株価上昇による企業価値の向上を図ることは難しいことではないように思います。これは単に企業のやる気の問題です。

また、配当の利回りの見方も2種類あると思っています。皆さんが証券会社や株式関連の各種サイトや記事で目にする、株価・金融資産に対する配当利回りである表面利回りと、投資した元本に対する配当利回りである元本利回りです。私がPFを組む際に意識しているのは、「表面利回り」を上げるのではなく、「元本利回り」を上げることです。少ない資本を元に、取引を頻繁にすることなく、ほったらかしで投資における利回りを高めるには元本利回りを上げるしかありません。したがって、高い表面利回りの銘柄よりは、将来的な元本利回りを高められるであろう連続増配銘柄や優待拡充銘柄などへ投資したいと思い、銘柄を日々の適時開示から探しています。

たとえば株価1000円で10円の配当金（元本利回り1％）がもらえる銘柄を購入した場合、10年後に100円の配当金（元本利回り10％）がもらえる銘柄になって欲しいと思っています。表面利回りは株価上昇により下がる利回りですが、元本利回りは株価上昇により変動せず、増配などにより上がる利回りです。業績に連動して配当金が増えれば元本利回りは上昇し、魅力的な金融商品になると投資対象としての注目度も高まり、結果的に投資家からの資金が集まって需給が改善し株価も上昇しやすくなります。インカムに注目した結果、キャピタルも得ることも可能になり一石二鳥なわけです。

元本利回りについてATB67のデータをお示ししますと、有配銘柄の元本利回りは2022年時点で平均値は18・7％（中央値13・7％）と半数以上の銘柄で元本利回りは10％超でした。つまり、その配当金が今後10年間維持され続けたとすれば、株式を売却しなくても10年保有すれば元本を回収できることを意味し、さらに増配されると元本回収期間は短縮されます。

バブルが崩壊した今の日本で10％超の利回りを得られる金融商品が実際にどれだけあるでしょうか。ないのであれば自作すればいいんです。元本利回りの高い金融商品であれば、意識せずとも自然と握力が強まると思いませんか。

相場の暴落は投資の好機

順風満帆に増え続けたように見えるかもしれませんが、15年間ずっと資産額が右肩上がりだったわけではありません。先述したようにリーマン・ショックも経験しましたし、震災やコロナショック、世界的な金融ショックも何度か直撃し、その度にフルポジション（フルポジ）な私の資産は大きく乱高下しています。ではなぜほったらかしたままショックを耐え忍べたのか。

直近では2020年に新型コロナウイルスのパンデミックによる暴落相場がありました。

このような経済ショックやアクシデントで相場全体が弱気になり株価全般が大きく下がると、含み損を抱えたり含み益が大きく減ったりすることがあります。その一方で、好業績の銘柄を安く買えるチャンスでもあるので、下を向くことなく前向きに捉えます。

2023年3月に起こった米国地方銀行のSVBフィナンシャル・グループ破綻や、世界的な大手投資銀行クレディ・スイスのUSBによる救済合併なども同様です。日本株にどれほどの影響が及ぶかを一個人が評価するのは難解でしたが、ツイッター上ではマクロ環境と破綻の背景を独自に解析してリーマン・ショックとは異なる事象であり、一時的な調整にとどまるだろうとした投稿が散見されました。一方、パンデミックは経済的な事由ではなく、世界的にその影響度が不透明かつ誰にも予測できなかったため、短期間で暴落しました。が、その後は各国の金融緩和で一転バブルとなる波乱相場となり、私にとっては非常に難易度が高い相場だったと思います。

日本の株式市場は、年間取引金額の6割以上を占めると言われる外国人投資家ら海外マネーの動向に大きく左右されます。日本経済が堅調で、国内企業の業績が総じて好調だったとしても、海外で経済不安が強まれば、利益確保や中国などアジア各国の政情不安のヘッジのために日本株が売られることはよくあります。コロナ以前にも、２００９年のギリシャ危機や２０１５年のチャイナ・ショックなど、金融情勢に端を発するショックはたびたび起こってきました。世界の金融当局はこれらの経済ショックや、世界恐慌以来の危機と言われたリーマン・ショックを経験して、金融危機は何としても起こさせないという強い姿勢が垣間見えます。度々起こる金融系ショックの影響度は測りかねますが、個別企業の業績への影響度が高そうな話題でなければ、企業価値を評価して投資しているのだから慌てて現金化する必要もない、と私は考えます。

このように15年間で数々のショックを耐え忍んだ忍力は、暴落してもそれに屈することなく、ピンチはチャンスと前向きに捉えて相場に挑み続けたからこそ培われたもの。足許が不安定な時こそ前を向いて相場に臨みましょう。不撓不屈です。

常にフルポジである理由は簡潔です。そもそも超低金利の預金に現金を置いておく意味がなく、代わりに少しでも利回りの高い株式へ投資しているので、生活費以外の現金を常時確保しておく理由がないからです。急遽お金が必要になったら思いの外イマイチな決算だった銘柄を売るなどして現金化するだけです。私にとって証券口座は預金口座です。

株式市場の動向によって資産価値が大きく変動することを気にして、現金化するかどうか悩む方もお見えかと思います。しかし投資にはリスクとリターンの振れ幅がつきものですから、私はあまり気にしていません。先述したように元本利回りの高いインカムを増やしたいので、株価上昇を理由に売ることもありません。株価下落はむしろ好業績銘柄を安値で拾うチャンスなので、株価が下がったから売るという判断にはなりません。ただ、仕込んだ株価の位置が高いと思えばいったん損失を確定させ、改めて入り直すことはあります。

目指すPFは富士の山の如し

テンバガーハンターというと、さもテンバガーを狙いすまして獲ったかのように聞こえるかもしれませんが、そうではありません。実際は世界を飛び回り宝探しをするトレジャーハンターのように、日本市場を駆け回り、お宝株を探し当てるハンターと捉えていただいた方が、愛鷹流投資道をイメージしやすいかもしれません。意識して長期保有したというよりは、インカムの恩恵を得るには自然と長期保有せざるを得ず、世界的な金融緩和の追い風も受けて次々と蒔いたタネが芽吹き、10倍という大輪の花を毎年咲かせてくれた、といった感じです。つまり、キャピタル狙いではなく、インカム狙いだったからこそ握力が続いた。言わば、業績は見続けたけれども、株価は見なかった（意識しなかった）からこそ、10倍株を手にすることができた、とも言い換えられるかもしれません。慧眼無双です。

インカム狙いにマインドを切り替えて以降は、株主優待という名の自作お歳暮を楽しみながら、自作の配当金ボーナスを徐々に増やして、自作の自分年金を築けたらいいな、といったスタンスで相場に臨んでいます。つまり、超分散・長期保有という愛鷹流投資道は、「インカムを増やす」という目的に沿って最適化されたものかもしれません。お金にも働いてもらい収入が増えていくなら、これほど楽なことはない……という発想です。極端なことをいえば、自分が労働せずとも収入が年々増えるなら、株価が上がらなくても全然かまいません。

ビジネスの核となる技術やノウハウがあり、長期的な需要が見込めそうな、先行投資した以上に利益がついてきそうな企業や優待利回りの高い銘柄を、日々の適時開示などから地道に選んでいきます。そして数多くの企業の決算に目を通し続けたことで、優待株、高配当株などの高還元率株から、増収増益を続ける好業績株や世間の注目度が今は低いがいずれ脚光を浴びる技術を磨き続けるいぶし銀株まで、気付けば８００超の銘柄がＰＦに並んでいました。

分散も意識的にしたわけではなく、自然といろいろなテーマに興味を持った結果、一部銘柄に過度に集中させ過ぎず、成長に勢いある新興企業から世界に名だたる老舗企業まで、多種多様な株でＰＦが満たされることに。安定した業績の大手企業をＰＦに組み込むと、相場変調時はＰＦの安定化に寄与します。そして成長を見込んで仕込んだ銘柄が安定的に利益を出せる銘柄に育つと、ＰＦを支える側になりさらに安定するという好循環も生まれます。こうして徐々にではあり

●図24　愛鷹流超分散投資のイメージ

ますが、安定しつつ成長も享受できるPFに育ちました。今後も持ち前の打たれ強さを活かしながら、新規上場銘柄にも目を通し、どんな相場環境でも大きく負けず全体として崩れにくい、イメージとしては富士山のような末広がりなPFを築く「築財」を続けます。

このように養分トレードや集中投資の失敗を経験しつつも、毎日決算に目を通しながら、好業績かつ高還元が期待できそうな銘柄をコツコツと買い付け、ひたすらPFを大きく育てるべくタネを蒔き続けました。その結果、2011年に初の10倍株を手にしてからは、アベノミクスの追い風が日本市場に吹いたこともあり、相場低迷時に蒔き続けたテンバガー株が次々と芽吹き、2013年からテンバガーが続出。2017年に13社、2020年には19社のテンバガーに恵まれ、2022年には10年連続でテンバガーを達成しています。

ヒラリーマンでも買える株価

10倍株をテーマに特集が組まれる場合、低時価総額や低位株などがテーマになりやすいです。時価総額10億円の企業が100億円になるのと1000億円の企業が1兆円になるのとでは、低時価総額である前者の方が10倍株になりやすいという理屈は解りますすし、過去のデータでも示されており明らかです。が、個人的には低時価総額よりも、サラリーマンでも買い易い株価であり続けることの方が重要な要素ではないか、とも思っています。

日本株も最近、米国株などと同様に1株から購入可能な証券会社も増え、1株での売買も可能になりましたが、原則、売買の最低単元は100株です。そして一般的なサラリーマン（ヒラリーマン）のお財布事情からして、毎月投資に充てられる金額は数万円というのが関の山だと思います。となるとヒラリーマンが現物株を買うには株価3桁の銘柄を1つか2つ、背伸びして10万円台の銘柄を1つというのが限界かと思います。ヒラリーマン感覚として、株価5000円（単価50万円）の銘柄は手出ししにくいが、株価500円（単価5万円）の銘柄であればなんとか出せなくもない、というわけです。

浮動株数や流動性にもよりますが、株価1000円前後くらいがヒラリーマンにも手出ししやすいのではないでしょうか。株価は需給で形成されます。買いたい人が売りたい人より多くなると株価は上昇します。買いたくても買えない株価帯にあるよりも、買いたくて買える株価帯にある方が株価は上昇しやすいように思います。となると低時価総額も大事かもしれませんが、買い易い株価であることも株価上昇には大事な要素であり、現状の日本の株式取引の仕組みからすると、株式分割は投資家層を広げる意味で有効な手段だと思いました。

ATB67の株式分割に関するデータをお示ししますと、77・2%の銘柄で1回は株式分割を実施しており、2回以上の株式分割は52％と過半でした。つまり株式分割により購入単価を引き下げることは株価上昇の一因になっている、ということです。

上場企業の適時開示は決算短信、決算説明資料、中期経営計画、月次情報、大型受注、特許取得、大量保有報告など多岐にわたります。毎月のように適時開示を出す企業もあれば、決算短信しか出さない企業まで様々です。月次情報や大型受注を開示できる企業はそれらを開示する度に投資家に注目され、株価が反応し流動性が生まれます。そういった開示ができない企業にとっても、株式分割は投資家に注目され、株価が反応し流動性が生まれるため、ＩＲ施策として有効な手段の一つではないかと思います。

10倍株というと高嶺の花のようなイメージがあるかもしれませんが、上場企業が自社の株価を10倍化させることは、業績が着実に向上しているのであれば、株主還元やＩＲの取り組み次第で、それほど難しくはないことだと思います。

ただし、短期間に株式分割を繰り返すと株価は急騰しやすいですが、低位株が仕手株化するのと同様に、その後の株価は悲惨な結末を迎える傾向があるように思います。これは私の望む株価の値動きではありません。過ぎたるは猶及ばざるが如し。何事も程々に。

その10倍株いくらで買いましたか

２０２２年10月に東京証券取引所から、望ましい投資単位の水準は５万円以上50万円未満という水準が明示されました。それに呼応するかのように、これまで1単元購入するのに百万円以上の資金を要した任天堂やファナック、信越化学工業などのいわゆる値嵩株がこぞって株式分割を実施しました。東証一部の要件として株主数2200人という基準が800人まで引き下げられ、株主を増やす必要はなくなりました。が、代わりに求められた流動性の増多などを考えると、先述したように買いにくい株価水準よりも、買い易い株価水準である方が参加者は増えやすいです。誤解しないでいただきたいのは、株価の安い株を買うと株価が上がりやすい、と言っているわけではありません。買い易い株価である方が、好業績が続く限りは株価が上がりやすいのではないか、ということです。

ＡＴＢ67の購入単価に関するデータをお示ししますと、10万円前後の株価で購入した株が非常に多く、ＡＴＢ67の購入時の株価の平均値９・９万円、中央値７・５万円と株価１０００円前後で購入していました。しかし、株価5万円が50万円、10万円が１００万円と株価が上昇し、値嵩株になると、ヒラリーマンには手出ししにくいなってしまいます。

そこで先ほどの株式分割が重要になってくるわけです。適度に株式分割を実施することで常に買い易い株価水準に留め、個人投資家の買いを常に呼び込むのです。個人的には株価が20万円を超えてきたあたりで2分割の株式分割を実施し、常に株価が10~20万円になるように繰り返し調整します。すると、新規に株式投資を始めた投資家も新規参入しやすく、企業にとっても投資家層のすそ野を広げることもでき、株価の安定や流動性の増加に寄与するように思います。株式分割してくれれば買い増ししなくても保有株が勝手に増えてくれるので、ほったらかし投資したい

●図25　優待拡充に関するデータ

銘柄名（コード）	事業内容・特長 株式分割×優待拡充
日本M&Aセンターホールディングス（2127）	M&Aによる事業承継コンサルタント 株式分割の度に、お米5kg／100株
ベネフィット・ワン（2412）	福利厚生サービスを展開 株式分割の度に、自社福利厚生サービス／100株
クリエイト・レストランツ・ホールディングス（3387）	飲食ブランドをM&Aして育成 株式分割の度に、食事券2000円／100株
ヒト・コミュニケーションズ・ホールディングス（4433）	家電通信食品系企業の販促支援 株式分割の度に、ギフトカード1000円／100株
日進工具（6157）	小径超硬切削工具メーカー 株式分割の度に、クオカード1000円／100株

私としては願ったりかなったりです。

もう一つ株式分割が株価上昇に有効であるのが株式分割と株主優待を組み合わせたケースです。ATB67の優待拡充に関するデータを図25に示します。私は株式分割で優待拡充されると家族へ贈与して優待拡充の恩恵を最大化し、家族にも株式投資を楽しんでもらうようにしています。

先にも述べましたが、握力強く保有し続けるために必要なのが、「株価を見ない（意識しない）」ことです。

たとえば株価が購入時から5倍に成長し、ある時に20％急落したとします。

その瞬間に受ける損失は大きいものの、購入した時から考えれば株価はまだ4倍の水準にあります。まだまだ含み益には余裕があるわけで、企業の事業の成長ストーリーが崩れてもいないのに、一時的に株価が下がったという理由だけで利益を確定させることはありません。

業績が伸びれば伸びるほど株価は勝手にそれに伴うものという考えが根本にあります。極端にいえば、業績を通じて企業の事業価値さえ見ていれば株価は見る必要がないのです。

そもそも、私の投資の目的はあくまでも不労所得、つまりインカムの増加ですから、株価の伸びよりもインカムの伸びの方がずっと大事です。私のように、お金がお金を生むストック収益を作りたいと思えば、必然的に長期投資になります。

私は本業がありながら株式投資する兼業投資家であり、専業投資家のように株価を見ながらトレードしたり、こまめに銘柄を入れ替えたりするのは難しいです。その意味でも、ゆったり保有し続けられそうな銘柄を吟味して投資することは重要です。購入してからしばらくは四半期ごとの決算や適時開示をまめに確認しますが、事業が成長軌道に乗ったことを確認できれば、その後は年に1、2回チェックするくらいでも十分と思っています。

売るのは自分が描いたビジョンから外れた事業展開になったときや、望みのインカムを得られなくなったときです。また、現金が必要になったときも事業の進捗が思いのほか緩慢な銘柄や優待目的の保有で業績の芳しくない銘柄などを選んで売ることはあります。

愛鷹流10倍株の探し方

愛鷹流投資道は、4つのステップのみ。

・業種を絞る
・業績を見極める
・分散を心がける
・長期に保有する

ここでいう「業種」とは、東証の分類による33業種やそれらをさらに集約したTOPIX－17とは異なり、何の分野に属しているかを表す「テーマ」です。

特定のテーマに関わりのある銘柄を調べるだけなら、「株探」や「四季報オンライン」などですぐ調べることはできます。ただそれらの情報ツールの課題は、リストに挙がってきた企業のそれぞれが、テーマとどの程度関わりがあるのか一目見ただけでは分からないことです。

そのテーマにまつわる事業を専業で手掛けている企業もあれば、総合商社のように事業セグメントが複数あり、注目しているテーマに関わる事業の会社への寄与度が小さい場合もあります。これは自らの目で決算などの適時開示を読み解いて確認するしかありません。

では、どのテーマに投資するか、のきっかけは様々です。ツイッターで流れてきたニュースが元になることもありますし、好業績の決算を読んで業界全体に対する追い風が吹きそうだと感じた場合にテーマが何かを読み解き、同テーマの他社でより割安な銘柄はないか調査します。また、買い物に出かけた際に見かけた繁盛店の行列や人々のファッションの移り変わり、外国人観光客の多さなど、街角ウォッチングからテーマを見つけることもあります。

また、サラリーマンならではの銘柄の探し方もあると思います。サラリーマンであれば、会社を通じてその業界の最前線の情報が入ってきます。自ら情報を取りに行かなくても、営業から取引先の発注状況や開発方針などが報告されたり、自社がどこのシステムやサービスを利用しているか分かったり、自らの業務量の増減など日々の業務を通じて、業界の景況感などを肌で感じられる部分があると思います。これは専業投資家にはない利点です。最新の現場の情報を仕入れられる上に、スキルを磨きながら給与をいただけて社会保険料まで賄ってもらえる。インサイダーにならない範囲で有効に活用しない手はないと思いませんか。

テーマ探しは連想ゲーム

たとえばアフターコロナで期待が膨らむ「インバウンド」というテーマから連想してみましょう。インバウンドといえば買い物旅行ということで、百貨店、化粧品、家電製品、ホテルといったところは直ぐに連想できると思います。ホテル業も観光系やビジネス系、リゾート系などいろいろありますし、そのホテルがどの地域に店舗が多いかによってもテーマとの関わり方が違ってきます。トヨタ系の企業の多い東海圏にビジネスホテルを多く展開するＡＢホテル（６５６５）や大浴場が人気のドーミーインを運営する共立メンテナンス（９６１６）、会員制リゾートホテル首位のリゾートトラスト（４６８１）など様々です。また、ホテルといえば宿泊予約のための比較サイトとして、手間いらず（２４７７）やｔｒｉｐｌａ（５１３６）などもあります。

また、観光地として人気が高く今年40周年を迎える東京ディズニーリゾート（ＴＤＲ）への送客が見込め、TDRを運営するオリエンタルランド（4661）の大株主でもある京成電鉄（9009）もあります。同社は空の玄関口、成田空港にも路線がありますが、同じく羽田空港に路線のある京浜急行電鉄（9006）、東京から京都・大阪までの移動に欠かせない東海道新幹線を運営し、リニア新幹線を建設中のJR東海（9022）などもあり、外国人旅行客増加の恩恵を享受する鉄道会社もありそうです。ホテルを沿線に展開している鉄道会社もあるのでそういった観点からも今後の鉄道各社の業績動向は要注目ですね。

海外でも人気のある日本の化粧品ですが、化粧品メーカーのほか、販売している百貨店やドラッグストアにも恩恵があります。また、化粧品メーカーだけではなく製薬で培った製剤技術を活かして化粧品業界に新規参入し、肌研（ハダラボ）やObagiを始めとしたスキンケア事業が、主力であった点眼薬事業以上に大きく伸びているロート製薬（4527）があります。最近はやりのプチプラコスメ（安くて使い勝手のよい化粧品）としてメラノCCシリーズが売切れ続出として話題になりました。

他にもインバウンドに関連するテーマとしては、お土産、空運、空港、格安航空サイトなども考えられます。テーマを細分化すればするほど、投資対象も絞られ調査もしやすくなります。インバウンドという1つの大テーマからさらにどのテーマにお金が流れているかを連想していく、まさに連想ゲーム。ゲーム感覚で銘柄探しができ、見つけて投資した企業の業績が連想通りに成長し、株価や配当や優待も増えてくれれば株式投資も楽しく続けられると思いませんか。

今は株探などでテーマごとに銘柄が仕分けされ、各種テーマの関連銘柄を探すこともそれほど難しくありません。が、それぞれの銘柄のテーマへの関与度まではわかりませんから、そこは各社の決算短信を読み解き、よりそのテーマの恩恵を受けられそうな銘柄を絞り込むしかありません。

10倍株が眠る「テーマ」とは

２０２２年は中古車、リユース、スマートスロット、今年２０２３年はＣｈａｔＧＰＴと株式市場で注目を浴びるテーマは移ろいます。コロナ禍ではマスク、消毒薬、ワクチン、検査薬、電子漫画、キャンプなどがテーマとなりました。が、コロナ禍で流行ったテーマはどれも今となっては誰も見向きもしなくなり、いずれも一時的な特需だった印象です。

私がテーマ探しで重視しているのは、そのテーマが長期的に持続するかどうか、です。

連想ゲームではテーマを掘り下げる方向で例示しましたが、好業績決算を見つけた場合は大きなテーマを捉えて恩恵を受けそうな他のテーマを探すこともあります。人材サービスを例にとってみましょう。人材サービスで初めて投資したのが夢真ホールディングス（２３６２、現在２１５４、オープンアップグループ）でした。２０１１年に決算短信を読んでいた際に好業績銘柄として目に留まり、建設業界の施工管理できる社員を採用育成して人手不足の建築業界に商機を見出しているところに惹かれて投資しました。月次で採用社員数を目標と実績とを追うことで好調な採用状況が確認でき、決算にも好調さがそのまま現れ、２０１３年には対前年5倍！と大幅増配するなど、株主還元に積極的であったこともあり、２０１３年に10倍化するのを見届ける

●図26　人材サービス銘柄

銘柄名(コード)	事業内容・特長
アルトナー(2163)	自動車・半導体製造装置などエンジニア派遣
ソーバル(2186)	組込みソフトなどエンジニア派遣
ディップ(2379)	アルバイトの求人情報サイト運営
ワールドホールディングス(2429)	製造派遣・請負の中堅・不動産販売
エスプール(2471)	コールセンター人材派遣、障がい者雇用支援
WDBホールディングス(2475)	理化学系人材派遣首位
クリーク・アンド・リバー(4763)	クリエイター派遣

ことができました。

夢真の好業績を見ながら考えました。日本は少子高齢化が進み労働人口が減っているが、多少の差はあるものの、どの業界でも人手は不足しており、人材を求める流れは変わらないのでは、と。そこで、人材派遣や業務委託（アウトソーシング）を中心に銘柄を探し、決算で好業績を確認しながら配当利回りの高いものを優先して投資しました。その結果がこちらのＡＴＢ67の人材サービス銘柄です。これら人材サービスから思いつく上流のテーマは人手不足です。人手不足にもいろいろあります。後継者不足となればＭ＆Ａ、業務委託となればアウトソーシング、最近ではフリーランスに業務を委託するクラウドソーシングも広まってきました。また、工場での人手不足はＦＡ（※1）でロボットなどを導入しますし、倉庫でのマテハン（※2）により施設内の物流を自動化するなども人手不

（※1）ファクトリーオートメーション、（※2）マテリアルハンドリング

足の下流のテーマにあたります。

製造・物流の現場ではさまざまな形態のロボットが導入され、それぞれがインターネットとつながり（スマート化）、データの蓄積や動作の指示が自動で行われるようになります。当然、半導体はロボットにも通信先のサーバーにも使われるので、半導体の需要はこの先も増加する一方です。となると、日本企業の得意分野でもある半導体製造装置関連にも追い風はありそうですし、自動化に必要な画像認識技術などは、今注目のテーマであるＡＩ関連になります。

また、デスクワーク・現場仕事を問わず省力化のためのスマート化は進んでいきます。日本にはＤＸに出遅れている中小企業がたくさんあり、今後も取り組まざるを得ないテーマです。導入や社員教育にはＩＴコンサルなどのＤＸサービスを利用します。また、実際に作業するエンジニアも足りておらず、ここでまたエンジニア派遣など人材サービスの出番があります。一方で、ＤＸの潮流についていけず廃業する中小零細企業が増えると考えれば、Ｍ＆Ａをアレンジする企業の引き合いが高まるでしょう。と、需要のあるテーマには思惑が巡ります。

アウトソーシングもいろいろでバックオフィスなどのノンコア業務の一部を業務委託するＢＰＯのような例もあれば、自社の情報システムに関する業務を外部委託するＩＴＯ、専門知識や知的財産の調査を含めた業務を外部委託するＫＰＯもあります。雇用主が労働者やその家族に向けて実施する取り組みの一つである「福利厚生」はＢＰＯのよい例です。

福利厚生サービスを自社で維持するのは維持管理費がかかり、大手でも維持が難しくなりつつあります。中小企業が99％以上を占める日本では、福利厚生に関するサービスは今後も伸びるだ

●図27　無限に拡がる連想ゲーム

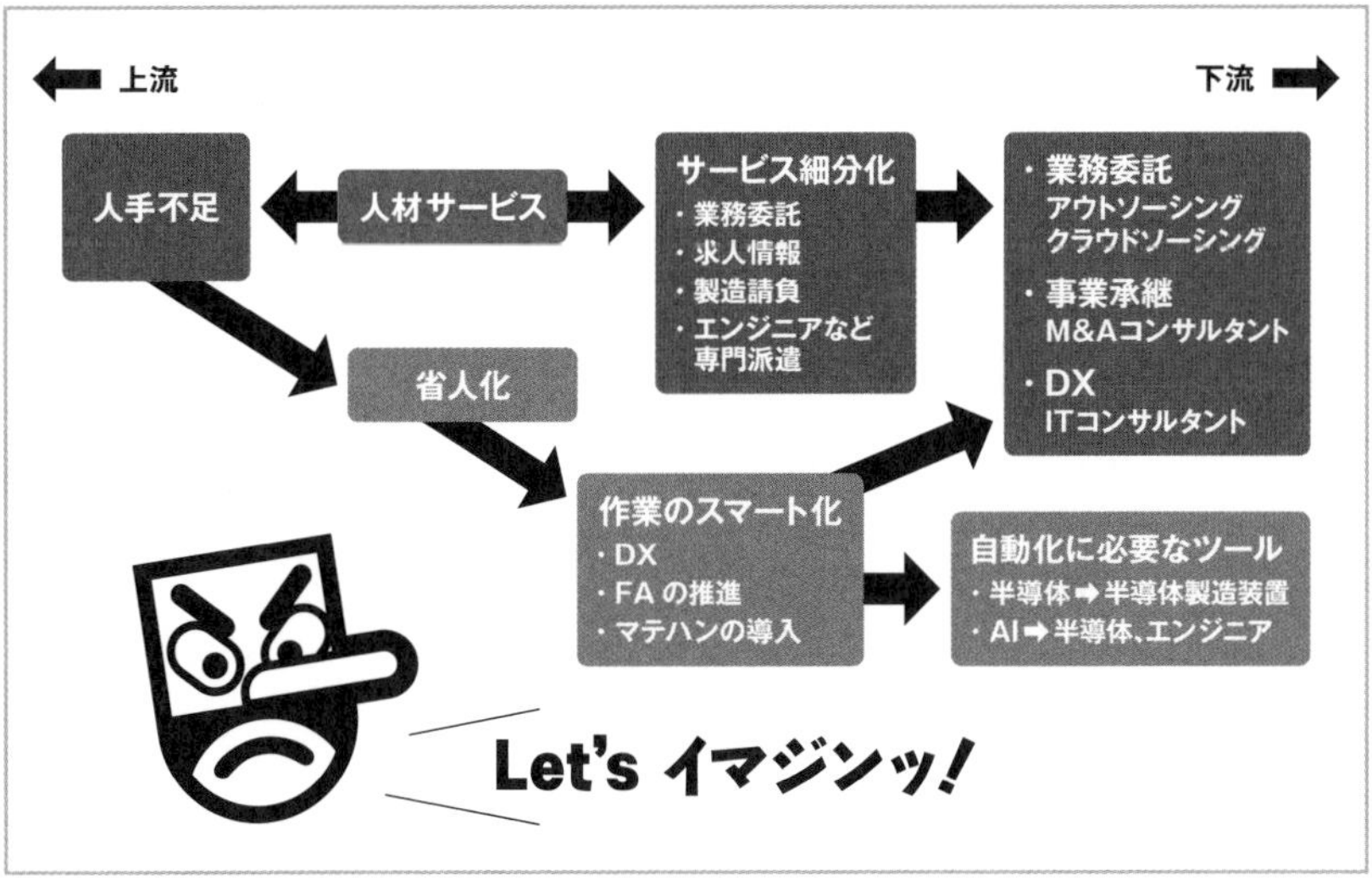

ろうと思い銘柄を探すと、リログループ（８８７６）が10倍化していました。そこで他に同テーマの出遅れ銘柄はないかと探したところ、ベネフィット・ワン（２４１２）やバリューHR（６０７８）がありました。いずれも投資の数年後に目出度くＡＴＢ67入りしてくれました。この分野はまだまだ伸びると思います。また、いずれの企業も福利厚生系の株主優待があり、サラリーマンの皆さんが自社の福利厚生では不十分とお思いであれば、これらの企業の株主になるだけで個人でも企業と同等の福利厚生を受けることもできます。

日本の各企業は安い人件費を求めて一時期はアジアを中心に製造工場の海外建設が増えましたが、コロナ禍での半導体・部材不足や海外の人件費の相対的な上昇などを受け、製造工場は国内回帰しています。そして皮肉にも日本の安い人件費を求めて、ＴＳＭＣなど海外の大手製造業も日本での工場建設を進めるなど、人材サービスには再び追い風が吹き始めたようなので、まだまだ恩恵に与れそうな持続性のあるテーマだと思い握っています。長く続くテーマであればあるほど、長期的にほったらかせます。

経済はヒト、モノ、カネの流れから成ります。株式投資では、ヒト、モノ、カネが今どこに流れているのか、継続的にどこへ流れようとしているのか、を考えます。適時開示だけでなく、身の回りの変化や国際情勢などから、時流を読み解く眼力を研鑽しましょう。日々精進です。

テーマ投資の弱点

とはいえ、自分が見出したテーマの隆盛がすぐ来るのか、5年後に来るのか、10年後になるのかを予測するのは至難の業です。世界初の技術としてメディアに取り上げられるも、その後の開発過程で超えられない課題が生じ商品化、または量産化に至らず消えることも多々あります。

また、世界で大きなシェアを持っていても参入障壁が低い業界である場合、後発企業に抜かれてしまい後塵を拝することもあります。1988年には半導体製造のシェア5割を握っていた日本ですが、2021年には6％と逆テンバガーが目前です。日本のメーカーでも技術的にはｉｐｈｏｎｅと同等以上のスマートフォンを製造できても、Ａｐｐｌｅ社のブランド力やアプリでユーザーを囲い込む戦略には太刀打ちできるわけもなく、負け組になりました。このように技術はあっても経営判断やブランド戦略を誤り衰退の一途をたどることになる例もあれば、トヨタのように燃費性能の高い製品を投入し続けることで世界のトップに君臨し続ける例もあります。

世間が注目していないテーマにいち早く注目するには、適時開示から読み解く以外にツイッターなどSNSも活用できます。

「バズる」という言葉をよく聞きますが、注目度の低いテーマが良いという観点からすると、むしろまだバズっていないネタの方がおいしいです。誰にも注目されておらず地味だけれど面白いネタやキーワードを拾えたら、独自に調べて投資に活かせるかどうか吟味してみましょう。

今では人材サービス銘柄も割高なものが多くなりましたが、２０１１年当時はどれも好業績で高配当かつ割安に放置されていました。10年前に比べて格段に早く誰でも簡単に検索できるようになった今、テーマをきっかけにチャンスを掴むことはそれほど難しいことではなくなってきたように思います。テーマの鮮度や市場規模、持続性などの観点と、関与度の高さを勘案しながら未来のお宝株のタネを仕込みましょう。

「最速・最新」の適時開示で業績を見極

業績の見極めに最も適しているのは四半期決算など、企業が発表する適時開示です。開示情報は企業の基本的な業績の情報を、最速で確認できる媒体です。

『会社四季報』から情報を得ている人も少なからずいて、私もかつてはよく見ていました。とはいえ『会社四季報』は、記者が取材して得た情報が最長で３カ月遅れて公開される媒体です。発売されたときには情報の鮮度が失われていることもあり、それを元に業績やビジネスを展望したところで時すでに遅し、となります。そのため私は、『会社四季報』は企業のプロフィールを知るための辞典として使っています。

適時開示では、四半期ごとの決算短信と中期経営計画を欠かさずチェックします。加えて売上高やKPIなどの月次情報も定期的に見ています。

決算短信は、いわば積み上げられた月次情報を四半期ごとにまとめたものです。たとえば、売上高が月次情報で対前年比2~3割上がっているとがわかれば、決算も好業績になる可能性が高まります。月次情報を常に見るのと見ていないのとでは、見ている方に優位性があるのは確かです。

適時開示は「iMarket（適時開示ネット）」で見ています。時間のあるときに片っ端から決算短信のPDFファイルをまとめて開いて確認していきます。最近では「株探」が売上高や利益の伸び率などをサマライズして流してくれるので、業績を大まかにつかむのには便利です。

決算短信の1ページ目で売上高と営業利益、配当金を確認します。営業利益率と進捗率は自分で目算します。これらの数値は、何%だから良い悪いといった目安はありません。業績に季節性があったりする場合もあり、一定割合で変動する銘柄ばかりとも限らないからです。が、一般的には前年同期比や通期比で上振れそうであれば、いずれ上方修正も期待できると判断できます。

開示で銘柄を絞り込んだ後は、PER（株価収益率）やPBR（株価純資産倍率）、配当利回りなどの評価指標やテーマとの親和性や技術、シェアなどを同業同士で比較し、優位性があるものを買うようにしています。今思えば、個別株投資の開始当初はPERやPBRだけでなく、権利落ち後は株価が下落しやすいことすら知らずに投資を始めるという無謀オブ無謀で始めても15年間続けられたのですから、楽しくやれるってのは大事だなと。「好きこそものの上手なれ」

今、興味のあるテーマと成長期待の個別株

本書のサブタイトルに「ぶっちゃけ銘柄を見せてください」とあります。私の保有銘柄をお見せしても差し支えありませんが、８００超の銘柄を一覧表にしたところで需要がないと思います。そこで、私が興味を持っているテーマと今後の業績に期待している銘柄を少しご紹介します。

たとえばいま話題のＣｈａｔＧＰＴのように皆の注目を集めるキラキラ系テーマもあれば、「介護」のように地味だが需要は増え続けマーケットとして伸びているテーマもあります。

介護は、自分の親が介護サービスの世話になるか介護系を本業としていなければ、なかなか接点がない分野でしょう。実際に有料老人ホームを展開するチャーム・ケア・コーポレーション（６０６２）やケア21（２３７３）があります。ＡＴＢ67では医療介護の人材紹介を手掛けるエス・エム・エス（２１７５）があります。

高齢化は日本だけではなく先進国で急速に進行しており、今後もテーマとしては続きそうです。かといって介護企業は参入障壁が低く競合も増えており、これからさらに大きく伸びるかというと難しいようにも思います。そこで目を付けたのが、介護施設でカバーするには専門性が必要であり、医療施設でカバーするには負担が大きく、まだ世の中の需要が満たされていない「終末期

●図28　日本ホスピスHDの株価推移

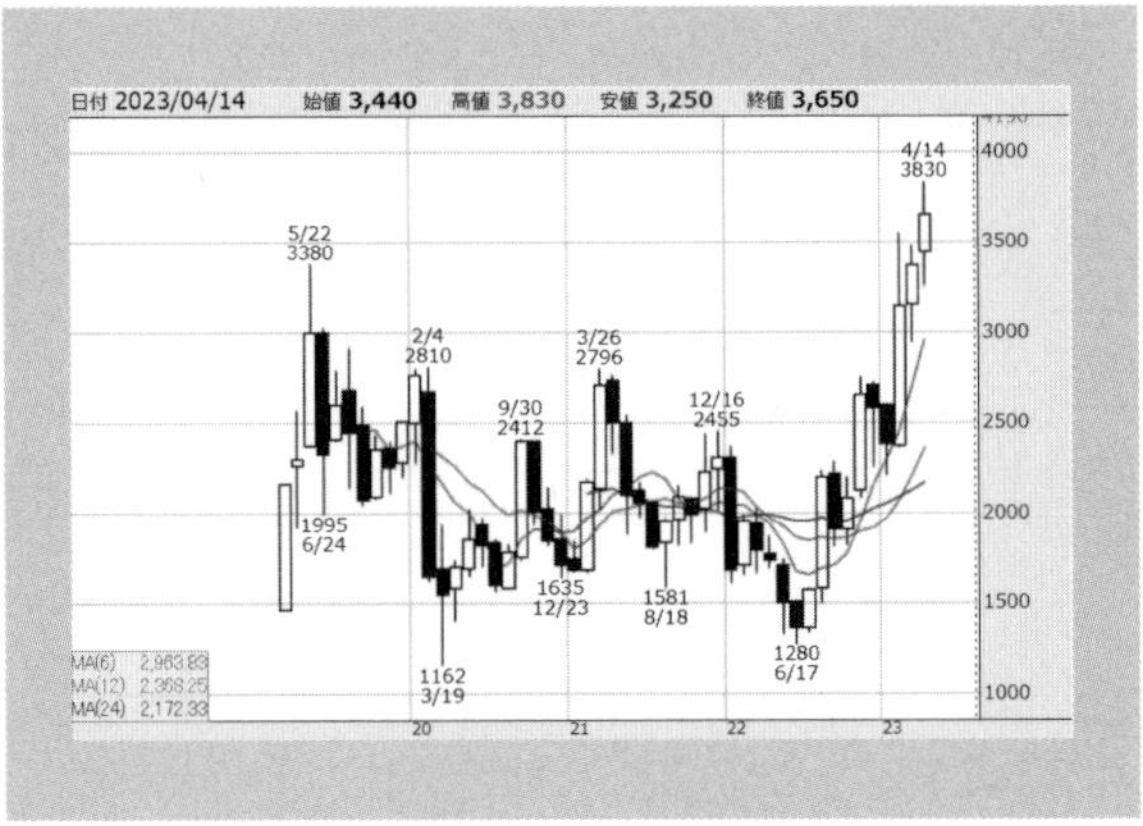

出典：株探（https://kabutan.jp/）

医療（ホスピス）」という新しいテーマです。

　終末期医療とは、患者やその家族の要望を受け、積極的な治療を行わずに患者のＱＯＬの向上に向けて医学管理を行う新しい医療の在り方です。医療施設型ホスピス「医心館」を展開するアンビスホールディングス（７０７１）や全国で末期がん患者などの終末期ケアを行うホスピス施設を運営する日本ホスピスホールディングス（７０６１）があります。また、パーキンソン病専門の老人ホーム「ＰＤハウス」を拡大中のサンウェルズ（９２２９）もパーキンソン病に特化した新しい介護の在り方を提供しており、注目しています。

　特に日本ホスピスは、ホスピスサービスの品質を向上させつつ、２０２５年には２０２２年末比で売上高を2倍の１７０億円に、経常利益を2·7倍の２１億円にするという野心的な中期経営計画（２０２３~２０２５）を2月末に発表しており、期待が持てます。

　いずれも介護施設とは異なり運営には医療の専門家も必要なため参入も容易ではなく、各社とも新規開設に積極的で施設数も増加の一途にあります。施設が増え、稼働率が高まる程に収益も増えることが容易に想像できるため、今後の決算発表を楽しみにしています。

アイスタイル（3660）

化粧品など美容関連の大手ECサイト「アットコスメ」の運営に加えて、実店舗での小売りも展開する、「コスメ」×「EC」がテーマの企業です。昨秋にアマゾンが筆頭株主になる資本提携IRにより株価が急騰し、その後その熱が冷め、今年2月中旬の決算を受け売りが一巡したのか株価は反転し、そこからは上昇基調にあります。3月末の株価が558円と個人投資家でも買い易い水準であり、一度火が点けば勢いよく上がる可能性もあるのでは、と期待しています。

コロナの収束ムードを受けて外出の機会が増えると、特に若年層の支持が高いプチプラコスメが大きく伸びそうで、今後もこの流れが加速すれば、アットコスメが受ける恩恵は非常に大きくなりそうです。アマゾンの大規模な出資を受け、今後はアマゾンのサイト上でコスメ販売プラットフォームを展開できる見込みです。アットコスメとは別に、集客力の高いプラットフォームを持てるとなればそのインパクトは計り知れません。どれだけ売上高が伸びるかは未知数ではありますが、長い目で見れば2018年につけた上場来高値を更新しても不思議ではないと思います。

unerry（5034）

スマホアプリで取得した人流データをＡＩ解析して、小売業や公共施設などに行動データを活用したコンサルティングを行っている企業です。スマートフォンの位置データを集積したリアル行動データプラットフォーム「Ｂｅａｃｏｎ Ｂａｎｋ」を運営しており、ＧＰＳ等により位置データを取得し、独自開発のＡＩで解析して、ユーザーの行動特性や属性、嗜好等を推計できるそうです。

非常にニッチな分野でビジネス展開して業績を伸ばしており、同業他社も見当たりませんでした。つまり先行者としてのノウハウを蓄積しており、この先も有利にビジネスを展開していけると考えています。ＮＴＴデータや米国大手ＩＴのシスコ・システムズとの連携ができている点も魅力です。名だたる大手企業が連携するということは、それらの企業がｕｎｅｒｒｙの優れた技術やノウハウを認めたことを意味します。肝心のデータは、１００種を超えるモバイルアプリを介してＧＰＳで屋外の人流を、全国２１０万ヵ所のビーコン（近距離無線端末）で地下・屋内の人流を、ＩｏＴセンサーで店舗・イベントなどの来訪者数を収集することができ、それらを独自開発のＡＩで解析して、各業界の大手企業の市場分析や販促活動などに必要な情報を提供しています。

このビーコンの相互活用技術は日米中で特許を取得し、米中でもアライアンス展開を考えており、グローバルでもサービスを提供できる可能性を秘めています。株価も昨年9月末から上昇基調に入っており、今後の展開次第ではありますが、グローバル展開が進めば時価総額１０００億円以上に膨れ上がる展開は十分に期待できそうです。

プログリット(9560)

英語学習者を支援するコーチングサービスと、英語学習アプリ「シャドテン」を展開している

２０２２年に新規上場した企業です。

プログリットのサービスは英会話スクールではありません。利用者の課題に合わせたカリキュラムを作成して学習をサポートするもので、本田圭佑氏、北島康介氏ら有名人を広告塔にしている点が、かつて株価１０００倍以上と一世を風靡したＲＩＺＡＰグループ（２９２８）を彷彿とさせます。

コロナ禍以前の世界に戻りつつあるなか、英語学習を始める人が増えています。大手企業への提案が順調でビジネス利用が伸びており、海外転勤や出張、個人の海外渡航が戻ってくればさらに伸びそう。サブスクリプションによるストック収益を積み上げつつ、コーチングサービスも伸びるなど、まだまだ成長余地はあるように思います。

株価チャート

●図29　アイスタイル

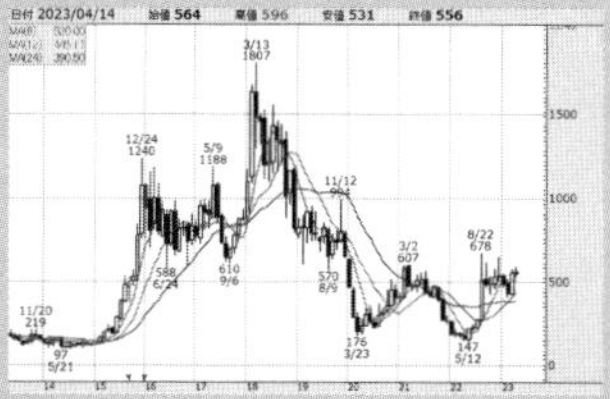

●図30　unerry

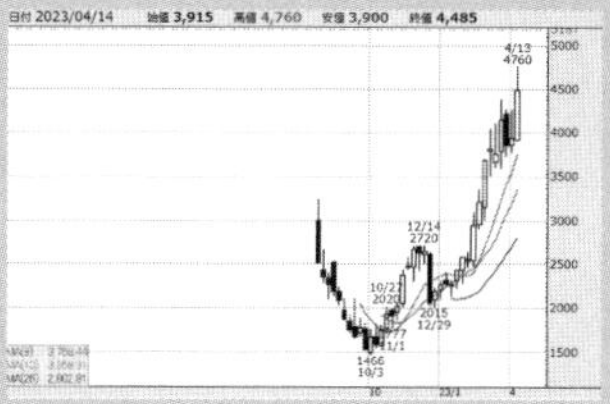

●図31　プログリット

●図32　青山財産ネットワークス

出典：株探（https://kabutan.jp/）

青山財産ネットワークス（8929）

都心部の収益不動産を買い集めて小口化した、ＲＥＩＴのような商品「アドバンテージクラブ」を主に資産家へ販売する事業と、資産家への財産・相続コンサルティング事業を行っています。

全国の資産家を顧客として抱えており、特にアドバンテージクラブの組成と販売のサイクルが非常に順調です。商品の中身である不動産に特徴があり、都市部の雑居ビルが多くを占めています。三菱地所が牛耳る丸の内や、三井のお膝元である日本橋のような一等地の物件はあまり組み入れていません。たとえば、山手線内ではあるけれども家賃が手ごろで高稼働の物件を組み込み、利回りを確保しています。財産・相続コンサルも順調で、葬祭関連のポータルサイト事業からそれに伴う相続コンサル事業の伸長で、鎌倉新書（６１８４）が昨年3月から株価を伸ばしているのも心強い点です。

昨年２０２２年3月の株主総会で発表された中期経営計画で、２０２５年度までの3年間で営業利益２・５倍化をぶち上げました。ところが、この中計は総会後に待てども待てども適時開示されることはなく、株主総会限定のクローズドな情報にとどまったのです。その後、投資フェーズを経て業績は上方修正となり、中計達成に向けて業績は順調に推移しています。

昨年3月に中期経営計画が開示されていれば、株価も反応していたかもしれませんが、非公開のため野心的な中計が株価に織り込まれることなく推移しています。現在の株価は１０００円程度で、ＰＥＲ13倍、配当利回り３・58％と決して割高ではありません。中計通りに業績が伸び続ければ、いずれ株価も勢いを取り戻すことを期待したいです。

株主総会は平日開催が多く、サラリーマンの方々はなかなか参加が難しいかもしれませんが、こういったクローズドな情報を聞ける場合もあるので一度参加してみることをお勧めします。

相場に臨むにあたり心掛けること

以上、67銘柄の10倍株の経験を元に、愛鷹流投資道における握力、忍力、眼力についてお話しさせていただきました。10倍株への道のりは山の峰を目指すが如し。山歩きされる方ならご存知かと思いますが、一歩一歩ゆっくりと足を運びながら、着実に前に進むも、雨に降られたり、せっかく上った山路を下ったり、その先にまた上り返しがあったりと、頂上まですんなりとは進めません。10倍株の道、はたまた投資の道も同じです。楽ありゃ苦もあります。しかし、時間がかかっても諦めずにマイペースで進み続ければ、いつしか眺めのよい稜線に辿り着き、その稜線歩きの先には10倍株という峰が見えてくることでしょう。10倍株の峰から見える絶景を、感動をぜひとも読者の皆様にも味わっていただきたい。そんな思いで本文を綴りました。

未来の株価10倍を見届けるには、何よりも「健康第一」。株式投資は資本を株式に投じて資産を生み出す方法です。投資家たるもの身体も資本です。相場に振り回されて心身を害しては意味がありません。楽しく相場に臨めるよう、自らの資力、環境、性格的に許容できるリスクに留め、無理なくマイペースで築財しましょう。レッツ!テンバガワッショイ!!

上場後のＩＰＯ銘柄から株価数倍、あわよくばテンバガーとなりそうなものを狙い撃ち！

値が飛びやすいＩＰＯ銘柄は非常に魅力的な存在ですが、公募売出しの抽選にはめったに当たらないし、えてして割当が回ってくるのは人気薄で初値も公募割れに……。どうにかして攻略できないものかと思案した私が辿り着いたのは、初値をつけた後のＩＰＯ銘柄をセカンダリー（二次流通）で仕込むという手法でした。着実に株価が数倍、うまくいけばテンバガー（10倍株）となる有望銘柄を選び抜くために、独自の選定条件を導き出し、その条件を満たす銘柄への投資を実践したところ、次々と数倍高を遂げる銘柄をゲット。２０２２年には待望のテンバガーも達成しました。今回はその選定条件と、そして実際に株価が大化けした銘柄を挙げながら、私の投資手法や保有銘柄の詳細をご紹介します。

▶ テンバガー投資家Xさん

投資歴20年の兼業投資家。2022年、保有銘柄のアズームがテンバガーを達成し、Twitterのフォロワーが数百人台から2万4000人（2023年4月3日現在）に急増。2022年末時点で純金融資産は2億7000万円。しかし本業収入が年収で1億2000万円あるため、株式投資は「趣味」で行い、ほかに不動産投資も手掛ける。主要な株式投資の手法はIPOセカンダリー投資。Twitter（@Investor__X）上でも、IPOに関する情報をこまめに発信している。

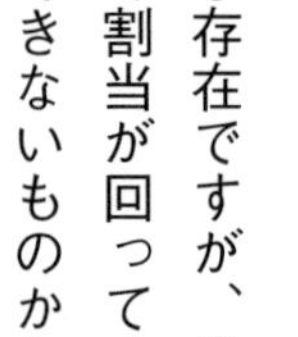

Twitter
@Investor__X

2022年にテンバガーを達成するも、それ以前は苦戦の連続

テンバガーとは、株価が10倍に化けた銘柄のことで、2倍高の場合はダブルバガー、3倍高の場合はトリプルバガーと呼んでいます。野球用語で「バガー」は「塁打」のことで、「まるで10塁打を放ったかのような飛躍を遂げた」という意味合いで、10倍高を記録した銘柄のことをテンバガーと表現するようになったといわれています。

私がメインに用いている手法はIPO（新規公開株）のセカンダリー（二次流通）狙いで、株価が3〜5倍程度になりそうな銘柄をターゲットとしています。とはいえ、利益成長が続く限りはずっと保有し続けるのが私のスタンスで、その1つであるアズーム（3496）が2022年にテンバガーとなり、2023年2月2日は12倍高を達成しました。

ただ、私のトレード歴は約20年に及びますが、最初から順風満帆だったわけではありませんし、金融資産の評価額は約2・7億円に達していますが、本業で蓄えたお金も多く、あくまで私の株式投資は、兼業投資家として趣味の範囲で取り組んでいるものです。お陰様で本業のほうは順調で、昨年の年収は約1・2億円に達しました。

私は大学生だった2003年に、奨学金を元手に株式投資を始めました。しかし、2006年のライブドアショックや、2008年のリーマン・ショックなど、数々の難局と遭遇して元手を減らすばかりでした。

手を出した新興企業が次々と上場廃止になり、それに懲りて大型株にターゲットを切り替えた

●図33　アズームの株価チャート

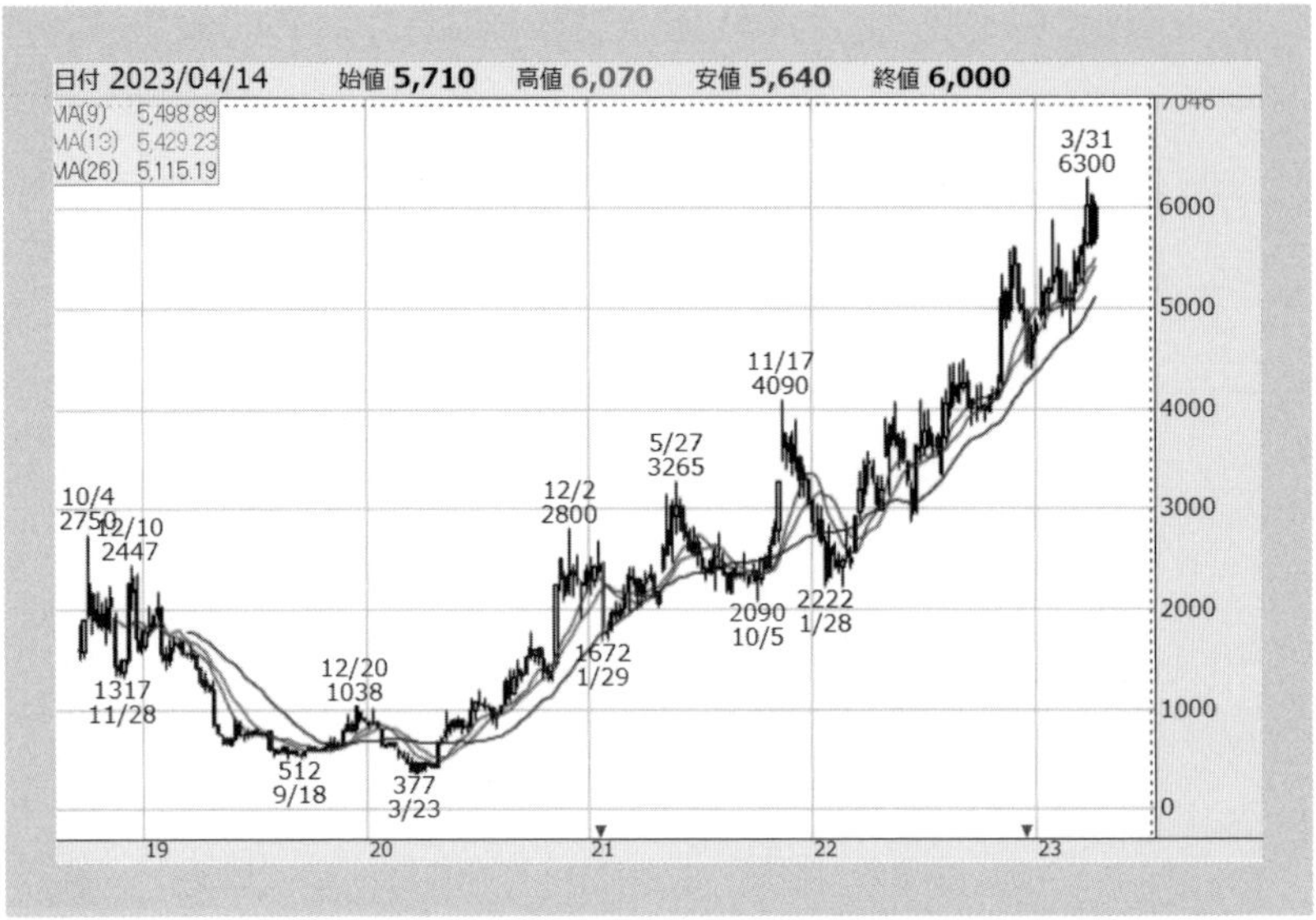

出典：株探（https://kabutan.jp/）

●図34　テンバガー投資家Xさんの近年の投資成績

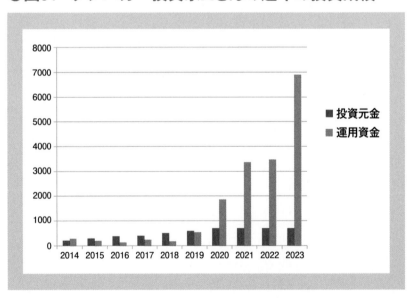

のですが、そちらもことごとく失敗しました。その後も細々と株式投資を続け、２０１２年の12月にはイー・アクセス（２０１５年にソフトバンクが吸収合併）で初のダブルバガーを達成したものの、それから勝ち続けたわけではありません。

イー・アクセスの売買では１００万円程度の利益を得られましたが、その頃から始まったアベノミクス相場には完全に乗り遅れてしまいました。７００万円の元手はどんどん減ってしまい、２０２０年３月にはコロナショックまで発生し、取引口座の残高がついに１００万円を割り込んでしまいました。

ＩＰＯ銘柄を狙い撃ちするセカンダリーの手法と出合う

ちょうどその頃に始めたのがＩＰＯのセカンダリー狙いです。本当に飛躍を期待できそうな銘柄に的を絞ったうえで、初値をつけた後に割高ではない水準で仕込むというものです。

コロナ禍を克服して世界的に経済活動が再開されるのに伴い、私がこの手法で買った銘柄も順調に株価が上昇傾向を示し、先述したようにテンバガーも登場しました。現状、通算では約８８９％のプラスを達成し、６２２７万円程度の運用益を獲得しています（２０２３年４月13日現在）。

もともとＩＰＯの抽選には頻繁に申し込んではいたのですが、なかなか当選しなかったり、自分に割り当てられても人気の低い銘柄ばかりで初値が公募割れになったりして、期待通りの成果は得られませんでした。ただ、ＩＰＯ銘柄の値動きが軽いことは非常に魅力的でしたし、どうにかして攻略できないものかと思っていました。

そして、いろいろと調べているうちに、上場後のＩＰＯ銘柄を狙い撃ちするというセカンダリーの手法に出合いました。もちろん、その作戦に切り替えてからすぐに結果を出せるようになったわけではありません。

著名投資家の手法を学ぶ

手探りであれこれ試しているうち、次第に自分なりの手法が確立されていったという感じなのですが、その出発点において、著名投資家の方々のブログやツイッターも参考にさせていただきました。

新規上場から少し時間が経過し、株価が下落してほとんど見向きもされなくなって予想ＰＥＲ（株価収益率）が下がって割安になったセカンダリーに照準を定める手法もそうです。また、定期的に収入が得られるストック型ビジネスモデルに注目することや、業績の拡大が続いている間は保有し続けるというところなども、そういったＳＮＳで公開されていた手法から学んだものです。

私は兼業投資家ですが、当然ながら兼業投資家は、専業投資家よりも時間的制約を受けることになります。銘柄探しに充てられる時間もおのずと限られてくるのです。

その点、最初からＩＰＯ銘柄だけに絞って検索を行うのは、極めて効率的だといえます。上場企業の数は４０００社近くに上りますが、その中でＩＰＯ銘柄は年間90～１００社程度にすぎません。仮に90社だとすれば、平均にして4日に1度程度のペースで新規上場する計算になります。いい換えれば、4日に1社のペースで銘柄を分析すればいいのです。

私の場合、1社当たりのチェックに費やす時間はおおよそ1分程度です。兼業投資家にとって、IPOのセカンダリーに焦点を当てる手法は作業効率的にも適していると思います。

IPO銘柄の半数がテンバガーを達成していた!

自分なりの投資スタイルを確立していくに当たって、著名投資家の方々がSNSで発信されている情報とともに、新聞やニュースも参考にしました。

調べていくうちに、意外と知られていませんが、実は日本の株式市場はテンバガーの宝庫であることがわかりました。

2008年9月のリーマン・ショック以降、実に4銘柄に1銘柄の株価が10倍になっているそうなのです。ただし、1～2年で一気にテンバガーと化すのはあくまでレアケースで、5年以上の歳月を経てその域まで達するというパターンが主流です。つまり、テンバガー狙いの株式投資では、長期保有が大前提となってくるわけです。

テンバガーしやすいセクターは、情報通信やサービスでした。そして、時価総額の低い銘柄を狙うこともポイントです。著名投資家の方々は、そういう銘柄を日頃からチェックしておき、相場全体が下がって割安になったタイミングで仕込みます。そしてその会社の成長シナリオが続く限り保有し続け、シナリオが崩れたら売却、他の銘柄に乗り換えていることもわかりました。

そして何よりも、ＩＰＯ銘柄の実に半数が新規上場後にテンバガーを達成していることも知りました。これらの客観的な事実も参考にしながら、私は自分なりのＩＰＯセカンダリー投資法を確立していきました。いよいよ次では、その中身について詳しく説明したいと思います。

テンバガー投資家X流「数倍高銘柄発掘」のための選定条件

先に述べた通り、年間の新規上場数は90〜１００社程度に達するというのが最近の傾向ですが、そのうちで私がセカンダリーで取得するのは5〜10銘柄程度にとどまっています。つまり、私が手を出すのは最大でも新規上場銘柄の約1割にとどまっているわけです。

保有している銘柄の中から株価が数倍になるものがたくさん出ているので、かなりの高確率で狙い通りの成果が得られていると言えるでしょう。

リスクを抑えながら着実に株価が数倍になるＩＰＯ銘柄を探し出すために、私は11の選定条件を定めています。具体的には、以下のようなものです。

①上場後1年以内の銘柄に絞る
②ストック型・多店舗展開型のビジネスモデル
③売上は過去数年間にわたって右肩上がり

④営業利益・純利益が伸び続けている
⑤黒字である（赤字企業は買わない）
⑥業界トップシェア・オンリーワン企業
⑦保証ビジネス
⑧サービス業、情報通信業に業種を絞る
⑨時価総額200億円以下
⑩創業社長が大株主
⑪PER（株価収益率）40倍以下（できれば20倍以下）

順に補足していくと、まず①の「上場後1年以内の銘柄に絞る」とは、効率的に株価が数倍になる銘柄を選び当てるための条件です。すでに触れたように、新規上場した2社に1社がテンバガーとなっていた年もあったわけですから、これは大前提だと言えるでしょう。

IPOセカンダリー投資について説いた書籍などでは、「上場後5年以内」などといったように、もっと対象を広げているケースも見受けられます。それも一考かもしれませんが、私の場合は上場承認が出た時点でチェックし、自分で定めた条件を満たした銘柄だけを監視し続けるようにしています。

約3900社に上る全上場企業の中からテンバガーの候補を見つけ出すのではなく、最大でも年間100社程度にすぎない上場後1年以内のIPOセカンダリーにターゲットを絞り込んだほうがはるかに効率的なのです。

「ストック型・多店舗展開型のビジネスモデル」が最重要条件

②の「ストック型・多店舗展開型のビジネスモデル」は、11の選別条件の中で最も重要な意味を持っています。長期的なスパンで見れば、やはり株価は業績を反映した推移を描くからです。

逆に、業績が拡大し続けているにもかかわらず、株価はいっこうに下げ止まらないようなパターンはおよそ考えがたいでしょう。売上が拡大の一途を辿り、それに連動して利益もずっと伸びていくことが見込まれるビジネスモデルであることがテンバガー候補の重要な要素です。

そして、右肩上がりの業績拡大を期待できる典型例として挙げられるのは、ストック型のビジネスモデルです。それは、商品やサービスを継続的に利用してもらうプラットフォームを構築し、定額制や従量課金制の料金設定で継続的に収益が得られるというものです。

つまり、売上の積み上げを前提とする収益継続方式のビジネスモデルなのです。たとえば会員制のサービスで解約率も低水準であれば、営業を続けていくにつれて売上と利益が右肩上がりを描いていくことを期待できます。

具体例を挙げれば、不動産賃貸や携帯電話、ＩＳＰ、サブスクリプション、保証ビジネス、保守・管理などといったところです。実際、私が保有しているアズーム（３４９６）をはじめ、ＭｏｎｏｔａＲＯ（３０６４）やジャパンエレベーターサービスホールディングス（６５４４）などがストック型のビジネスモデルで躍進し、テンバガーの仲間入りを果たしています。

店舗や支店が増えると業績も連動して拡大する多店舗展開型を狙う

一方、店舗や支店が増えるのに伴って販売エリアが拡大し、売上と利益の伸びを期待できるのが多店舗展開型のビジネスモデルです。繁盛する店を築き上げたうえで、それを全国的に増やしていけば、業績が右肩上がりで推移していく可能性が非常に高くなります。

その実例は、コンビニエンスストアやアパレル、老健施設、介護施設、保険商品の販売代理店などです。顧客から強烈な支持を集める店を持ちながら、まだ本格的に多店舗展開を行っていないという会社が狙い目となります。

現に、そのようなタイミングで私が投資したアズーム（３４９６）は、多店舗展開型のビジネスモデルにも該当します。また、テンバガー銘柄のチャーム・ケア・コーポレーション（６０６２）や、ユニクロのファーストリテイリング（９９８３）も然りです。

多店舗型のビジネスモデルでテンバガーと化した銘柄と言えば、かつてのペッパーフードサービス（３０５３）を連想する読者も多いかもしれません。立ち食いステーキの「いきなり！ステーキ」が大ブームとなり、業績が飛躍的に拡大していたことから、２０１７年には年初の水準に対して10倍高を達成しました。

しかし、その後は米国進出も含めた強気の出店攻勢が裏目に出て、業績と株価は急失速してい

●図35　ペッパーフードサービスの株価推移

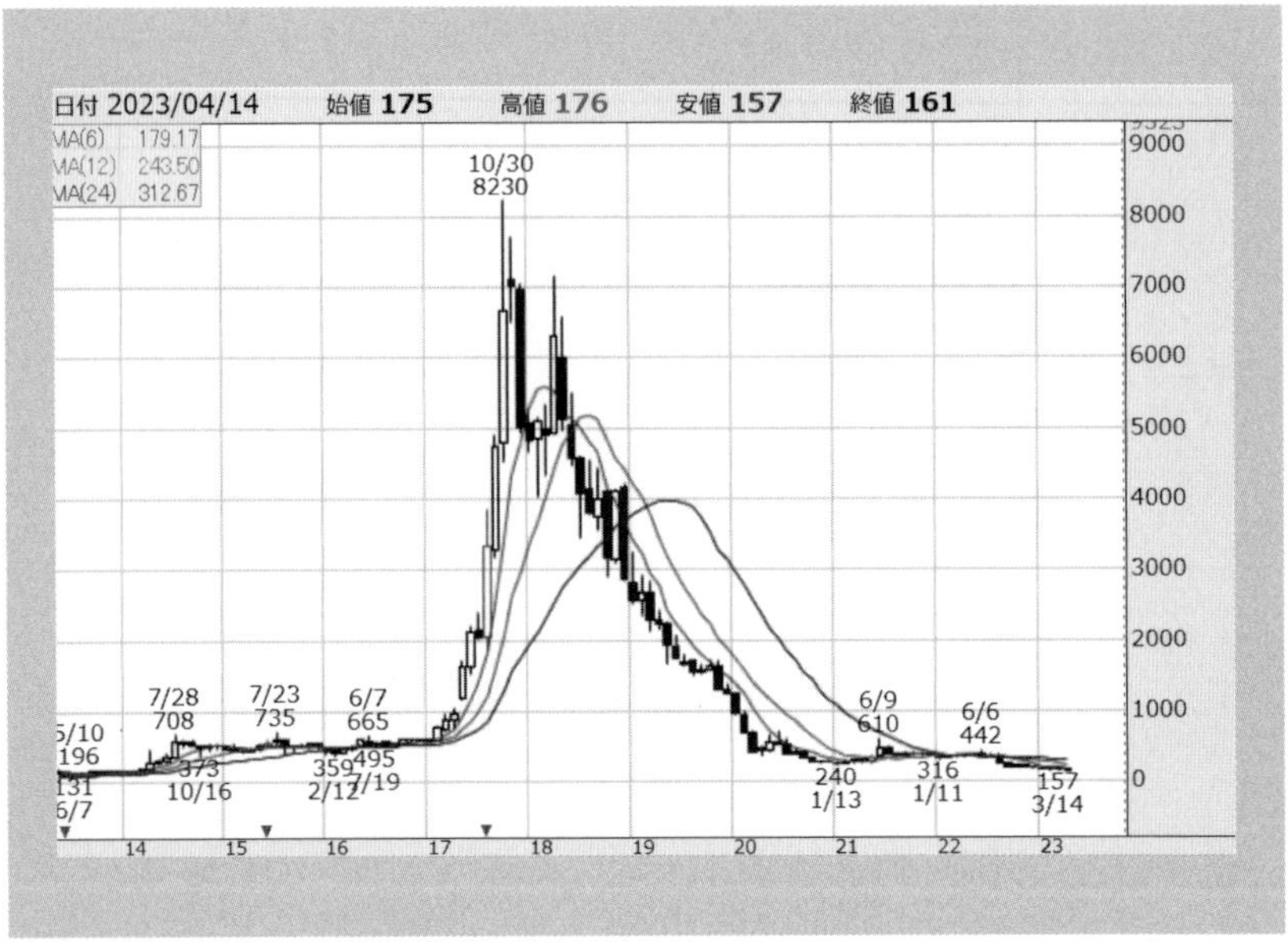

出典：株探（https://kabutan.jp/）

ます。そもそも私の場合は、個人的に外食産業を視野に入れていません。

コロナ禍で厳しい経営を迫られてきたこともありますが景気の影響も受けやすいうえ、参入障壁もさほど高くなくて競合も熾烈だからです。

外食は誰でも容易に参入できますし、成功している店はすぐに模倣されてしまうので、結局は価格構成などの消耗戦にもつれ込みがち。その結果、他のセクターと比べても利益率があまり高くないケースが多くなります。

持続的な業績の拡大は、②のビジネスモデルが機能している証

続いて、③の「売上は過去数年間にわたって右肩上がり」と④の「営業利益・純利益が伸び続けている」という条件は、②のビジネスモデルがしっかりと機能して業績の拡大に結びつい

●図36　アズームの売上推移

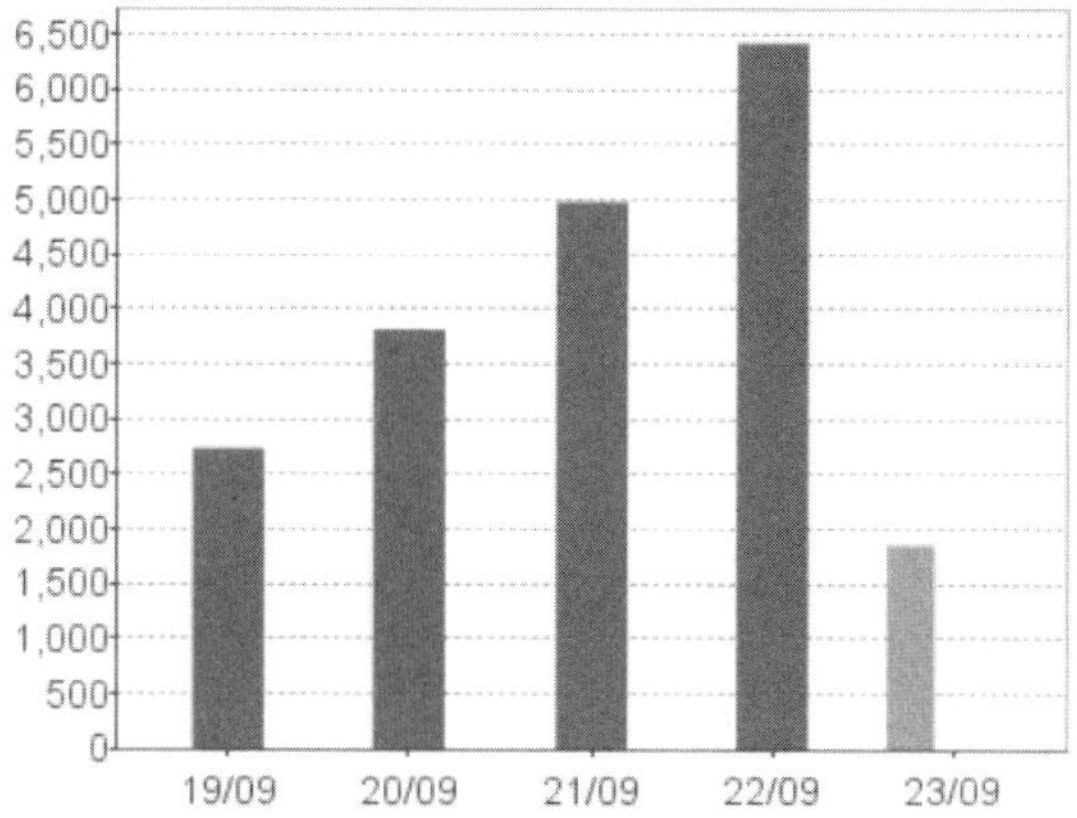

出典：アズーム社IRサイト

●図37　アズーム営業利益推移

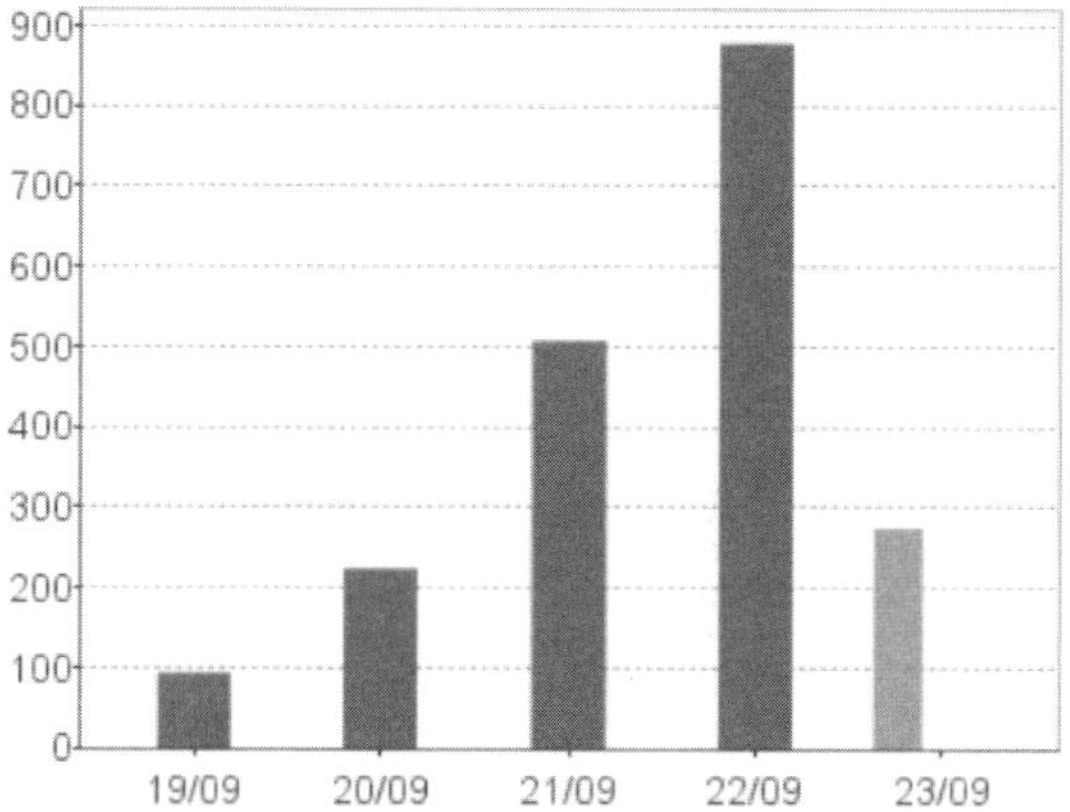

出典：アズーム社IRサイト

●図38　アズームの純利益推移

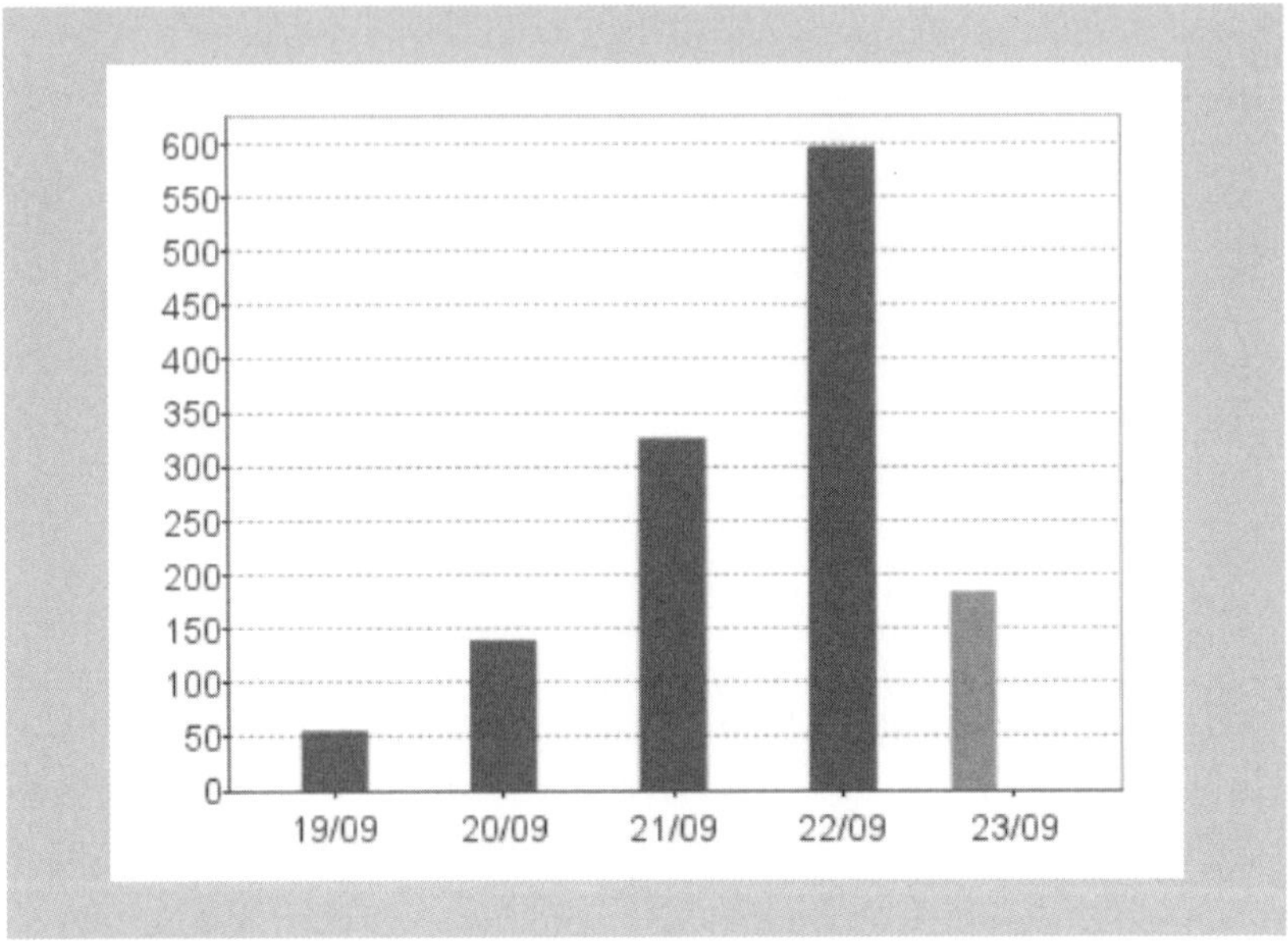

出典：アズーム社IRサイト

ているかどうかを確認するためのものだと言えるでしょう。図36～38のグラフは、アズーム（3496）の売上高と営業利益、純利益の推移を示したものです。

これら3つのグラフを見れば一目瞭然の通り、大幅な業績拡大が継続していることがわかります。ストック型かつ多店舗展開型のビジネスモデルが有効に機能している証左です。

なお、私の場合は利益率や成長率をあまり気にしていません。なぜなら、規模の拡大とともに利益率が改善し、加速をつけて成長率が上昇することが期待されるからです。

ストック型・多店舗展開型のビジネスで赤字は〝負の連鎖〟も！

とにかく、重視すべきは持続的な売上と利益の伸びです。⑤で「黒字である（赤字企業は買わない)」との条件を掲げたように、足元の業績についても黒字か、あるいは黒字予想であることを大前提とします。

会社設立から数年も経過して黒字化のメドが立たないのは、ビジネスモデルが破綻していることが原因かもしれません。あるいは、ひょっとしたら「上場ゴール」だった可能性も否定できないでしょう。

「上場ゴール」とは、その会社の創業者やベンチャー・キャピタル(未上場企業に出資する事業者)が株価の値上がり益獲得を目当てに株式を上場させる行為です。継続的に企業価値を向上させていくことに対する意欲が乏しく、すぐに業績の下方修正などを発表して株価が急落に転じるケースも少なくありません。

最悪なのは、ストック型や多店舗展開型のビジネスでありながら、赤字の状態に陥っているケースです。なぜなら、赤字が積み上げられていくという〝負の連鎖〟の恐れがあるからです。

もちろん、今は赤字に陥っても、やがて黒字化を果たして飛躍し、テンバガーとなる銘柄も存在しうるでしょう。しかしながら、その確率はけっして高くないのも確かで、不発となるリスクを回避しながら有望銘柄を選定するという意味では赤字企業を買わないことが大切です。

今後の成長のための先行投資で赤字を余儀なくされているケースもあるでしょうが、本当に優れた経営者は利益を確保しつつ、同時に攻めの一手を打っています。

何度も例に挙げているアズーム(3496)についても、先行投資で利益が急減した局面がありました。とはいえ、赤字には陥っていませんでしたし、大幅な人材獲得という投資も奏功して売上もしっかりと伸びていました。

赤字の垂れ流し状態が続いていても大きな夢を抱けるせいか、バイオ関連が株式市場で人気化することがあります。けれど、私は非常に攻略が難しい投資対象だと思います。

どれだけ画期的な医薬品を開発していたとしても、それが必ず認可されるという保証はありません。臨床試験段階で、期待していたような成果が得られない可能性も十分に考えられ、ギャンブルにも近い投資対象なので、手を出さないのが賢明でしょう。

IPO銘柄にはニッチな領域でトップシェアを握る企業が多い

⑥の「業界トップシェア・オンリーワン企業」という条件も、業績の持続的な拡大をもたらしうる要素となります。トップシェアを獲得している企業は広告宣伝の費用対効果が高く、二番手以降が追随するのも容易でないことから、今後も売上や利益が伸びやすいのが大きな魅力だと言えます。
やはりアズーム（３４９６）を例に挙げると、月極め駐車場に関して日本有数の規模を誇るデータベースを保有し、大手企業が参入していないサブリースというビジネス領域でトップシェアを獲得しています。駐車場のサブリースというニッチな市場でオンリーワンのビジネスを展開し、トップシェアの牙城を守り続けるという結果を残しているわけです。

特定のビジネス領域でオンリーワンの存在となっているのは、独自のノウハウやテクニックなどを要するなど、何らかの要因で参入障壁が高いからこそ。また、ニッチな市場にはコスト的に大手がなかなか参入しづらいという側面もあります。

オンリーワンの存在となれば、目の前にはほぼ競合が存在しないブルーオーシャンの市場が開けていることを意味します。実は、ニッチな領域でトップシェアを獲得している企業はＩＰＯ銘柄の中に数多く潜んでいるのです。

たとえば、サンウェルズ（９２２９／図39）はパーキンソン病患者専門ホームを多店舗展開していますし、アンビスホールディングス（７０７１）は医療的な高度なケアを必要とする方に特化した介護施設を同じく多店舗展開しています。こうした参入障壁が高い領域はオンリーワンの企業が独占的に売上・利益を獲得できるわけです。

保証ビジネスは、ストック型ビジネスモデルの一形態

⑦の「保証ビジネス」は、ストック型ビジネスモデルの一形態だと言えます。賃貸不動産の家賃保証がその一例で、入居者がこのサービスの提供者（保証会社）と契約を結び、所定の保証料を支払います。そして、入居者が家賃を滞納した場合は保証会社が家主に対して立て替え払いを行います。

立て替えた家賃については、保証会社が入居者に対して求償する（支払いを求める）ことになります。多数の賃貸物件において家賃保証のビジネスを展開すれば、最初に大勢の入居者たちか

ら保証料を獲得できる一方、滞納が発生してその立替金の回収が難しくなるというリスクは限定的だと言えます。

賃貸契約が更新されたり、新たな入居者に入れ替わったりする度に保証料が入ってきますし、契約が積み上がっていけば、それに伴って売上と利益が伸びていくことになります。

この保証ビジネスを手がけている企業の中からも、実際にテンバガーが登場しています。住居・事業用家賃保証のジェイリース（７１８７）や、住宅ローンの保証を行っている全国保証（７１６４）です。

また、ジャパンワランティサポート（７３８６）や日本リビング保証（７３２０）も株価が数倍に化けています。これらは私が引き続き注目している銘柄なので、詳細については後述することにしましょう。

景気動向に左右されないセクターであることも

⑧の「サービス業、情報通信業に業種を絞る」という条件は、序盤で触れた新聞記事などを参考に定めたものです。テンバガーとなった９４６銘柄のセクター別内訳を分析したところ、情報通信（18・4％）とサービス（17・2％）が占める割合がかなり高くなっていました。

しかも、これらの業種に属する企業の多くは、景気の動向などに業績が左右されにくいビジネスを手がけています。たとえば半導体の関連ですとその市況が大きな影響を及ぼしますし、輸出

●図39　サンウェルズの株価推移

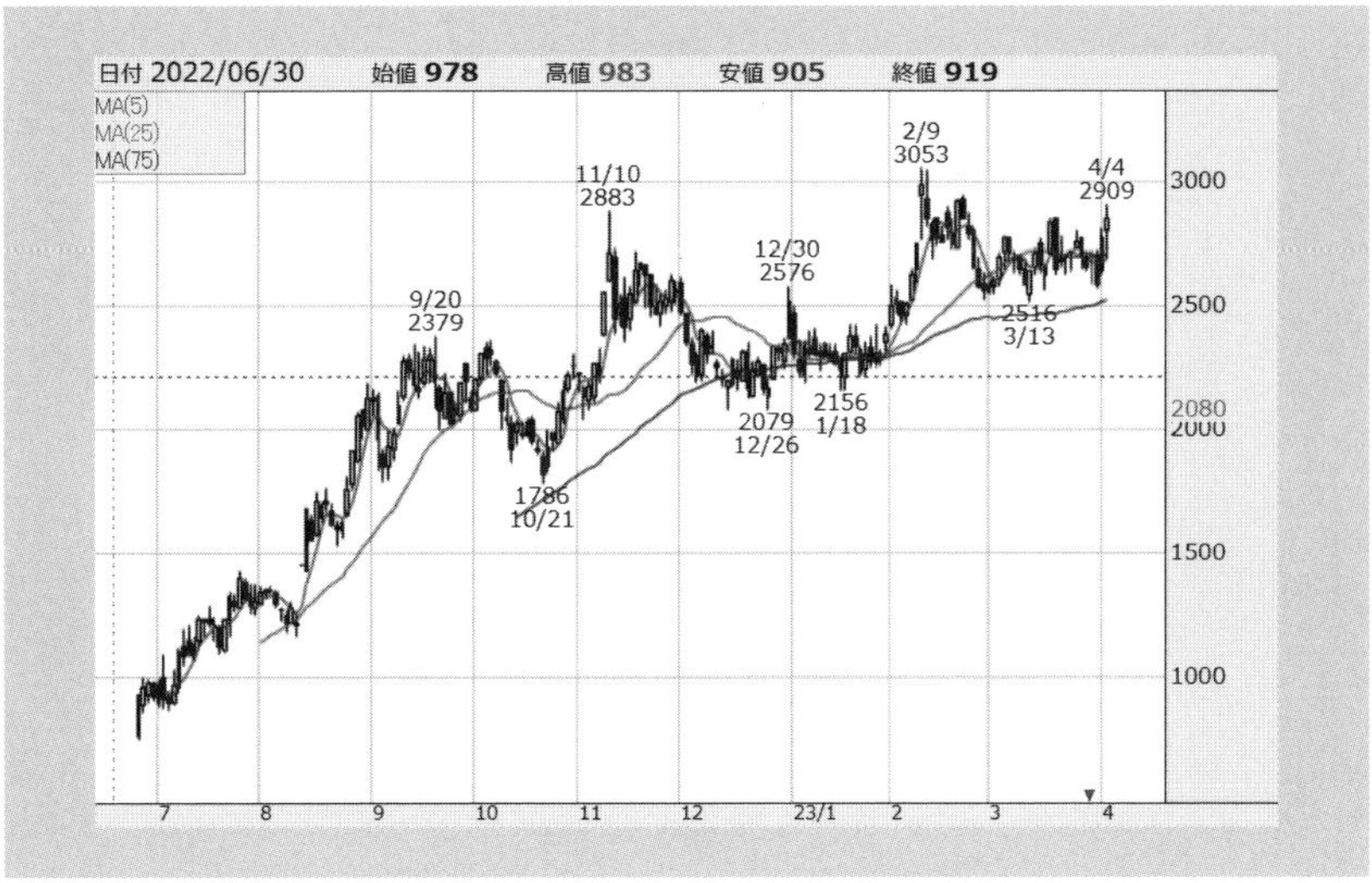

出典：株探(https://kabutan.jp/)

入関連には為替相場の動向が関わってきます。

その点、サービス業や情報通信業といった業種で②の条件に掲げた「ストック型・多店舗展開型のビジネスモデル」を展開している企業は、その業績が政治や経済などの情勢に左右されにくいと言えます。

典型例がアズーム（３４９６）で、ロシアによるウクライナ侵攻が泥沼化しても、日本国内における駐車場の契約とは無関係のはずです。同社は不動産業に分類されてサービス業の一角ですしデータベースを駆使したビジネスを展開しているのでＩＴ関連とみなすこともできるでしょう。

着実な業績拡大が期待される企業でありながら、米国市場の急落が世界的に飛び火して日本の株式市場全体も〝つれ安〟するような局面が訪れれば、割安に仕込む絶好のチャンスでしょう。〝高値づかみ〟のリスクを抑えながら、大化けが期待される銘柄を手中に収められます。

⑨の「時価総額200億円以下」も、同じく日経新聞の分析記事をヒントとしたものです。テンバガーとなった946銘柄における最安値時点の時価総額を調べると、その8割超が100億円未満でした。200億円以下に条件を緩和したのは、テンバガー候補のみならず数倍高銘柄まで拾い出すためです。

すでに株式市場でも成長性が評価されて株価もそれなりの上昇を示しているものの、まだ2～3倍になる可能性を秘めた銘柄を見逃すのももったいない話でしょう。

経営者が大株主で、株主の目線が同じ方向であることが大事

⑩の「創業社長が大株主」という条件は、経営者と私たち株主の目線が同じ方向であるか否かを判断するモノサシとなります。トップが自社の大株主なら、その株価が上がれば自分自身の資産も増えるので株主と同様にハッピーですし、逆に株式の希薄化につながるファイナンス（増資）をむやみに実施する可能性は低いでしょう。

特に創業社長が株式の過半を握る筆頭株主であれば、意思決定のスピードも非常に速いはずです。過去にテンバガーとなった事例を振り返ってみても、創業社長で筆頭株主というパターンが目立ちます。

注意したいのは、社長と創業メンバーの役員たちが公平に10％ずつ持ち合っているようなパタ

ーンです。たとえ創業メンバーであっても、役員の離脱はけっして珍しいことではありません。転籍や独立などで離脱する役員が保有株を放出すれば、株価に大きな下落圧力が及ぶことになります。

後にテンバガーとなる銘柄でさえ、PERを軽視して手を出すと大損も

残る⑪の「PER（株価収益率）40倍以下（できれば20倍以下）」は、リスク回避の観点で設けた条件です。高成長が続いている限り、高倍率のPERは許容されると説く専門家もいますが、それだけ〝高値づかみ〟をするリスクが高いことも確かです。

実際に私は、高倍率のPERを軽視して苦い経験をしたことがあります。最初にアズーム（3496）を買った場面です。いい銘柄だと思ってすぐに買ったのですが、株価の下落が顕著になって100万円程度の損失が発生しました。

そこで、いったん一部を損切りしたうえで、PERが20倍台まで低下している局面で買い増しを行ったところ、その後は順調に株価が上昇してテンバガーを達成した次第です。

どれだけ有望な銘柄であっても、さすがにPERが100倍や200倍といった域まで達してしまうと、いずれかのタイミングで反落局面が訪れるもの。その点、PER40倍程度で手を出すなら、PER20倍の水準まで株価が下落したとしても、買い増しする余裕も残っていることでしょう。

もちろん、3ケタのPERでも株価の上昇が止まらないというケースも皆無ではないでしょう。とはいえ、それはあくまで例外であり、確率的にそういった銘柄に大金を投じてしまうのはかなり危ういことです。

5年以上の保有が前提だが、成長シナリオが狂ったら売りも

私のIPOセカンダリー投資は、5年以上の保有を前提としています。想定通りの成長が続いていれば、全保有株を売却してしまうようなことは考えがたいところです。

とはいえ、まったく利益を確定させないわけでもありません。たとえば、ある銘柄に信用取引で5000株の買いを入れたと仮定します。

そして、含み益が30～40%まで拡大したとすれば、その段階で4000株は決済して利益を確定させます。残る1000株は「現引き（手元の現金で株式の現物を引き取ること）」として長期保有するのです。

ただし、成長シナリオに狂いが生じ始めた場合は話が別です。ストック型のビジネスモデルで契約数が増えているにもかかわらず売上が伸び悩んでいたり、店舗数が増えているのに業績が伸びていなかったりする場合は、自分の銘柄選択が間違っていた可能性について検証したうえで、必要だと判断したら売却します。

最後に、今後のテンバガー候補として私が期待している銘柄をいくつか紹介しておきましょう。

図40 ジャパンワランティサポートの株価推移

出典：株探(https://kabutan.jp/)

ジャパンワランティサポート（7386）

ジャパンワランティサポート（7386）は、「あんしん修理サポート」をはじめとする住宅設備機器の延長保証サービスを展開しており、売上の約7割がストック型となっています。

その提携先は、住宅設備メーカーや住宅設備機器の商社、大手ハウスメーカー、マンションのデベロッパー、家電量販店、住宅仲介事業者、リフォーム事業者などで、ヤマダ電機のウエートが高かったのが印象的でした。私は新規上場からしばらく経過した後に購入し、現状の株価はその時点から2倍程度に達しています。

きずなホールディングス（7086）

きずなホールディングス（7086）は、「家族葬のファミーユ」ブランドを軸に葬儀会館を

●図41　きずなHDの株価推移

出典：株探(https://kabutan.jp/)

●図42　日本リビング保証の株価推移

出典：株探(https://kabutan.jp/)

運営しています。大規模な葬儀から家族葬へとニーズが変化していますし、高齢化が進んでいる日本は多死社会となっているので、葬儀会館はフル稼働状態です。

この企業は、まさに多店舗展開でさらに伸びていく典型だと言えるでしょう。有料老人ホームの運営も手掛ける学研と提携し、他界した入居者の葬儀を担うような連携も期待されます。

日本リビング保証(7320)

日本リビング保証(7320)は住設機器の延長保証・修理とともに、教育ICT向けの保証なども手がけています。最近で言えば、小学生1人につき1台のタブレット端末が支給されていますが、同社はその保証を行っています。

今後のテンバガー候補予備軍

グッピーズ(5127)は主に歯科クリニックを対象として、歯科衛生士や歯科医師などの人材紹介サービスを展開しています。歯科衛生士は離職率がかなり高く、歯科クリニックでは慢性的に人材募集を行っているような状況です。

会員数と求人数がともに伸びていますし、医療系の人材ビジネスは高額設定の成果報酬型が主流となっていますが、グッピーズはクリック課金方式なので、医療機関にとっては低予算で人材

●図43　グッピーズの株価推移

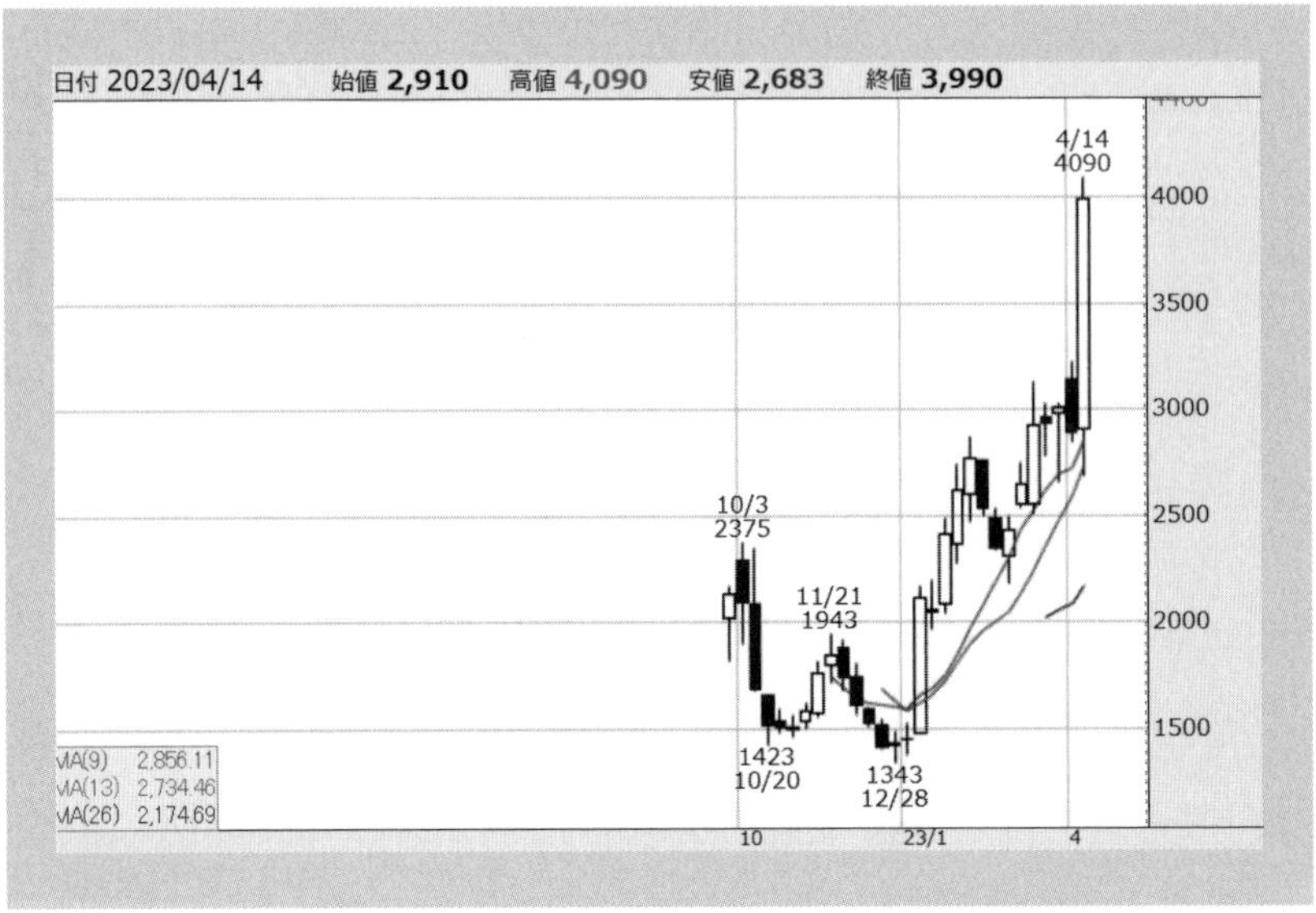

出典：株探(https://kabutan.jp/)

●図44　FPパートナーの株価推移

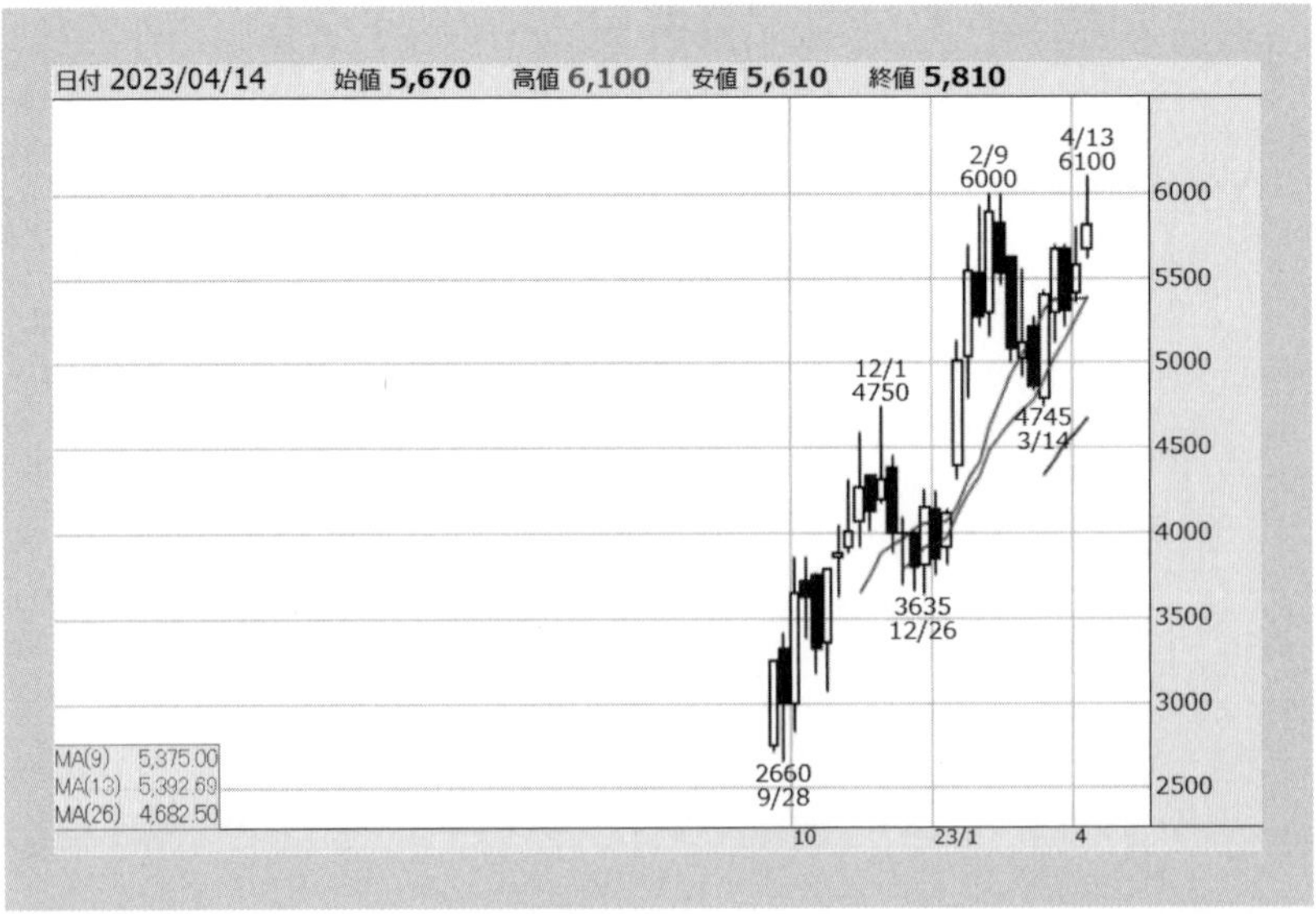

出典：株探(https://kabutan.jp/)

を集められることが大きなメリットとなります。

ＦＰパートナー（７３８８）は、いわゆる保険の販売代理店を運営している企業です。数多くのＦＰ（ファイナンシャル・プランナー）を抱えており、多店舗展開型のビジネスモデルで業績を拡大していくことが期待されます。

ココルポート（９３４６）は２０２３年3月末に上場したばかりの銘柄で、身体や精神にハンデキャップのある障がい者の就労支援・定着支援を行っています。従業員数が43・5人以上に達している事業主は障がい者を1人以上雇用することが法律で義務づけられていますし、多様性が尊重されている今の時代に、彼らの活躍をサポートする仕事は社会的にも意義深いと言えるでしょう。

過去5年間にわたって売上・利益が拡大していますし、ココルポートが提供しているサービスの利用料は障がい者ではなく健康保険組合などが負担しています。まだ東京などの一部の大都市での展開に限られており、全国にネットワークを拡大していくことも期待されます。

ちなみにＩＰＯセカンダリー投資における私の情報源は、ヤフー・ファイナンス、適時開示アプリ（通知あり）、やさしいＩＰＯ株の始め方（https://ipokiso.com/company/index.html）、ＩＰＯ管理アプリ、株探（https://kabutan.jp）、投資先と監視銘柄のホームページ、日経電子版といったところです。

全体相場の方向性を探るために、指数先物の動きも観察しています。『会社四季報』はほとんど見ていませんが、業績予想だけはチェックしています。

10倍候補を発掘する秘訣は丁寧に一次情報を拾いつつリスク管理を徹底すること

私は一般企業に勤務する傍ら、主に成長株投資によって運用資産を増やしてきました。また、個人投資家がリアルに集う場が関西地方に少なかったことから、個人投資家向け勉強会「神戸投資勉強会」を主催しています。こちらは２０１９年６月の開始以来、開催回数は37回にのぼり、参加者は約１６００名を数えています。

今回は、現在行っている投資手法と、勉強会の使い方についてご紹介します。投資手法の極意は、「リスク管理」「日々の一次情報からチャンスを探す」というものです。

また、銘柄発掘ルーティン、さらには今後の10倍株候補銘柄なども、余すところなくお話ししたいと思います。

▶ キリンさん

Twitter
@yudu1105

ハンドルネームは「キリン@神戸投資勉強会」。一般企業勤務の兼業投資家。40代前半。昔から株式投資への興味は高かったが、業務上の制約があったため、投資を開始したのは2015年4月から。主催する個人投資家向け勉強会「神戸投資勉強会」は、上場企業の役員・IR担当者を招聘し、IR説明会を中心に実施。『日経マネー』『ダイヤモンドZAi』『日経ヴェリタス』での記事掲載歴、ラジオNIKKEI『北野誠のトコトン投資やりまっせ。』の出演歴あり。

兼業投資家でも10倍株を発掘できる

本書は主に10倍株と成長小型株の投資法について解説するものですが、私の場合は10倍株を連発しているわけではなく、「無理なく取れそうな値幅を狙う」ことを基本としています。それでも今回の企画に参加しようと思った理由は2つあります。

1つ目は、本業の傍ら投資をしている兼業投資家ならではの手法で、成果をあげてきた経験をお伝えしたいと思ったからです。

場中に常時売買できる専業投資家とは違い、兼業投資家である私は成長株を一定期間保有し、一方で損切を徹底することで損失を小さく抑えて利益を伸ばす「損小利大」で資産を増やしてきました。

場中に常時売買できる専業投資家の方々とは違った、兼業投資家でも成果を上げられる方法を、実例をあげながらお伝えし、同じような境遇の皆様の参考にしていただきたいと思います。

2つ目は、投資勉強会を主催している立場だからこそ、お話しできることがあると思ったからです。

私が運営している個人投資家向け勉強会「神戸投資勉強会」は、2019年6月開始以来、37回の開催を通して約1600名の方にご参加いただきました（2023年4月末現在）。このような勉強会は他にも全国各地で行われていますが、こうした場をご自身の投資に役立てるコツについてもお話しさせていただきます。

「大口受注の開示」から目をつけた10倍株「タカトリ」

ここからは、まずトレードの成功例を通して、私の投資手法をお伝えします。

タカトリ（6338）は、半導体や液晶関連機器などの産業機械メーカーです。本社と工場が奈良県の橿原市にあり、他に営業所が徳島にあります。地方の企業で、東証スタンダード市場の上場銘柄ということもあり、あまり知られていない銘柄だったと思います。

私はタカトリに2021年の春から注目して打診買いを始め、一時は運用資産の5～6割を同銘柄に集中投資していました。最初に購入したときの株価が750円程度で、売り切った2022年末までに株価は最高値で9000円を突破。いわゆるテンバガーになった銘柄です（図45）。

タカトリに注目して資金を集中させていった理由は、同社が大型受注の開示を積極的に行っていたからです。

決算短信や業績予想の修正、中期経営計画の発表などは各社が日常的に行っていますが、受注状況を個別に開示する会社は実はそう多くありません。一方で、受注の情報をキャッチできれば、近い将来の業績予測をしやすくなりますし、投資のチャンスにつながることがあります。

タカトリは2021年の3月29日付で、「パワー半導体向けS・iC材料切断加工装置の大口受注に関するお知らせ」を開示しました。海外企業から14・4億円の受注を獲得し、2021年下半期から2022年上半期にかけて売上が計上されるという内容でした。

タカトリの2020年9月期決算における売上高は50億円に少し欠ける程度で、小幅ながら営

●図45　10倍株になったタカトリの株価チャート

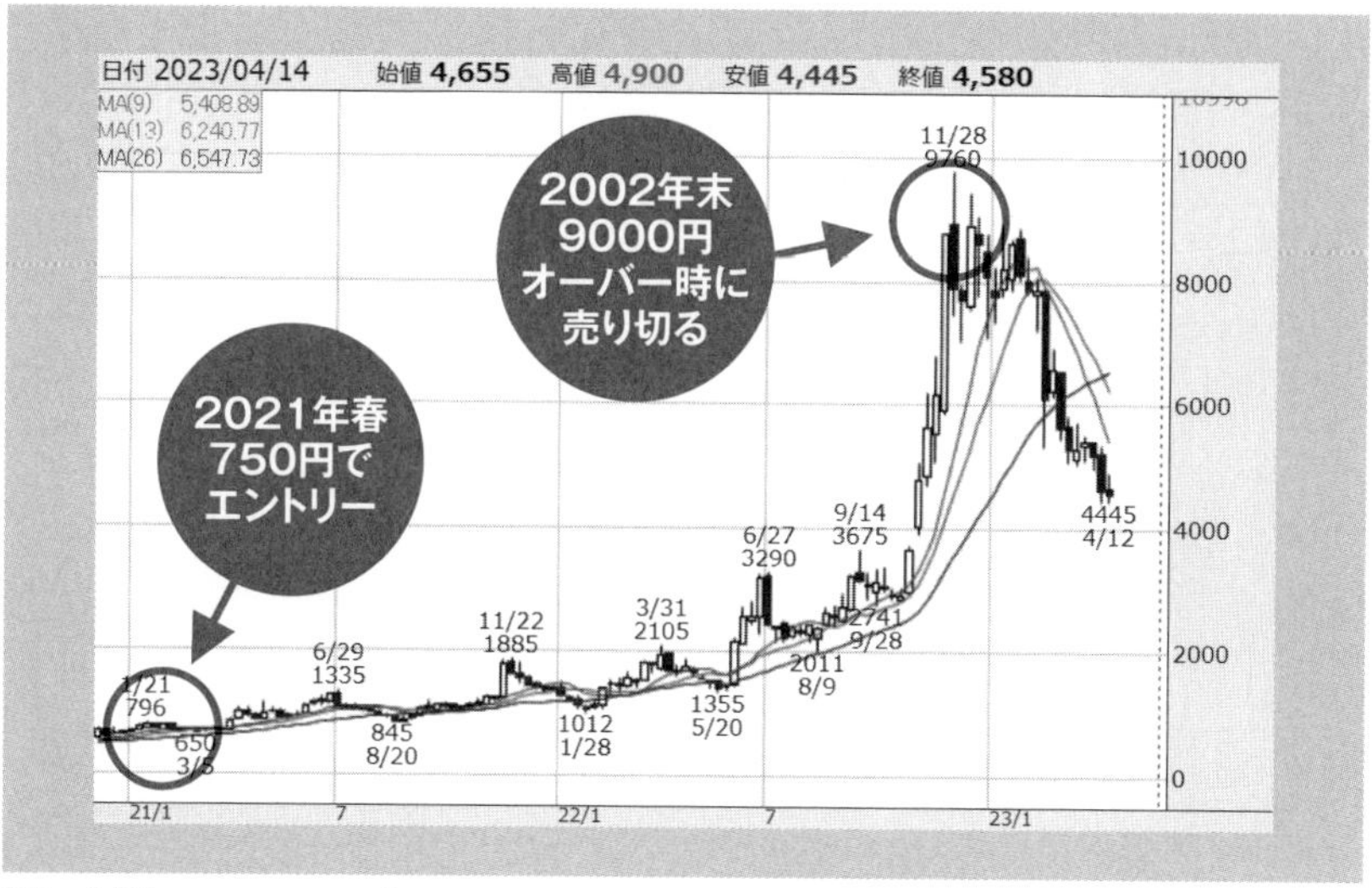

出典：株探（https://kabutan.jp/）

業赤字を計上していました。同社の規模を考えると、14・4億円の大型受注は業績へのインパクトが相当大きいはずと判断し、当時の株価約800円で買いを入れたわけです。

さらに2022年に入ると、タカトリは大口受注開示を連発します。

いずれもパワー半導体向けSiC材料切断加工装置の大口受注で、1〜6月にかけて毎月、さらに8、9月と開示情報が発表されました。金額が小さいもので3・3億円、大きいものでは80億円もの大型受注でした。

一般に、大型案件は小型案件に比べて利益率が高くなります。資材や人件費といった直接経費は、プロジェクトが大型になるのに比例して高くなる一方、使いまわす機材や事業運営全体でかかるコストは、案件が大型化してもすべてが比例して増えるわけでもないからです。読者の皆さんにも、ご自身の仕事に置き換えて考えていただければ、イメージしやすいかと思います。

一連の大口受注の開示により、売上増のインパクトに加えてEPS（1株当たり純利益）の成長が期待できると考え、株価にもポジティブと判断しました。

加えて都合がよかったのが、これらの大口受注のインパクトが『会社四季報』の予想に反映されていなさそうだったことです。

機関投資家やアナリストがカバーしていないスタンダード市場上場の地方銘柄で、かつ『会社四季報』でも売上増を織り込んでいない（たぶん）わけですから、多くの投資家もまだ気づいていないはずです（レベルの高いTwitter民は普通に知っていたと思いますが）。

「受注増に裏付けられた業績の飛躍」と「投資家に気づかれていない」可能性の高さから、2022年夏ごろまで、段階的に買い付けを行いました。後述の通り信用取引は基本的に行わないので、他の保有銘柄を手放した資金でタカトリの株価が一時的に下がるたびに押し目買いをし、一時は運用資産の5～6割を同社に集中させていました。

タカトリの株を買い始めた2021年には、コロナ・ショック後のリバウンド相場で、一定資産が回復していましたので、それなりの金額を1銘柄に投じていたわけですが、自信があったので、株価のボラティリティにメンタルがやられることなく、比較的冷静に保有できていました。

その結果、タカトリの株価は、2021年に800円で買い始めたときの10倍を超え、最高値で約12倍まで上昇しました。そして2022年11月11日付の決算短信で、2023年9月期の業績予想が売上高で前年度比56・5％増、営業利益で62・8％増と発表されたのを確認し、株価を見ながら段階的に利益確定を行いました。この段階で売ったのは、同時期に株価の上昇が一服してきたので、大口受注開示の内容が相当程度織り込まれたと判断したことと、その後大型受注の開示も一服したためです。

株価が上昇基調に乗ってからも買い増しているので、タカトリへの総投資額でみると5倍くらいになった計算です。株価が買い付け当初の水準から12倍になったことを考えると、取り逃がしが大きいように見えます。しかし、後ほどお話しするようにリスク管理を徹底し、大口受注開示という材料を、その都度確認しながら手堅く進めた結果の5倍。自分自身ではここ数年でも会心の売買と考えています。

「保有期間」と「銘柄数」にこだわりはない

私の株式投資に関する基本的な考え方や手法は、タカトリの取引で一通り説明してきましたが、私のベースとなっている投資スタイルについてもご説明します。

まず、信用取引は行わず、現物のみでやっています。かつて信用取引をしていたこともありましたが、私の豆腐メンタルでは残念ながらうまく使いこなせませんでした。

信用取引はレバレッジをかける取引であるため、場合によってはものの数分で損益が大きく変動します。大きく利益が出ていればいいですが、予期せぬ事態でストップ安になったりしたら、損失も膨大です。そうなると、株式市場が動いている間はどうしても株価の動向が気になってしまい、仕事も手につかなくなってしまいます。本業の仕事に差し支えるようではいけないので、私はすぐに信用取引から手を引きました。

その点は、専業で投資をされている方なら柔軟に対応できると思います。また、売買を細かく行い、ポジション管理を万全に行える技術のある方なら、信用取引を有効に活用することも十分可能かと思います。

次に保有期間ですが、私の場合、数カ月程度のスイング取引が多くなっています。ただし初めから「数カ月」と決めて取引しているわけではありません。想定している業績上昇の材料が株価に織り込まれたと判断したときや、逆に損切りをするサイクルが、結果的に数カ月単位になっている場合が多いというだけです。

タカトリのように業績・株価ともに好調が続いた銘柄や、長い時間をかけて業績と株価が連れてじわじわ上がっていくタイプの銘柄は、数年単位で持ち続けることもあります（例、プレミアグループ）。

メインの投資対象は日本株で、保有銘柄数は多いときで30銘柄くらいに分散しています（他、米国株を若干ほったらかしにしています）。

保有期間と同じく、銘柄数にも特にこだわりはありません。特定銘柄に自信がないときは広めに分散しますし、集中するときもあります。ただ、本業の仕事があり、投資に割ける時間が非常に限られている中で、自分に管理できる最大数は30銘柄前後かなと感じています。本当は10～20銘柄くらいに抑えたいと思っていますし、自信のある銘柄で固めたいとは思っています。

リスク管理のための分散という意味では、基本的に1銘柄に運用資産の1～2割以上の金額を割り当てないようにしています。たとえば30銘柄保有しているときは、各銘柄に資金を均等に入れることが多いです。

過去には保有が数銘柄まで減った時期もありました。そこには2つの理由があります。

1つは、地合いがあまりよくないときです。含み損になった銘柄を損切りしていき、利益が乗っている銘柄に振り替えていく中で、銘柄数が絞り込まれていったためです。

そしてもう1つは、自信のある銘柄が見つかったときです。いわゆる「勝負をしている」状態で、タカトリはこちらのケースでした。

「年間200回の損切り」でリスク管理と利益拡大を一致させる

地合いがよくないときや見込みが外れたときに行う素早い損切りは、私のリスク管理の根幹です。たとえば30銘柄でポートフォリオを組んでいるとき、自信をもって握り続けられる銘柄が上位30％だとしたら、その10銘柄以下の株については、少しでも含み損になったらすぐ損切りをします。これは、ある程度機械的に行います。

常に運用資産の8～9割を株に投資しているので、損切りで得た資金の多くは自信度の高い銘柄に振り向けます。株式投資では損を小さくして利を伸ばす、「損小利大」が勝つコツだといわれますが、その単純な方法として「含み損・即売り」を行っているわけです。

もちろん、株を買うときは株価が大きく上昇することを期待して買っているわけですが、私の意思に関係なく、株価は下がるときは下がるものです。そういうときに意固地になって保有を続け、我慢しきれなくなったところで売らざるを得なくなった場合、そのときの確定損失は膨大な金額になっています。

大きな実現損失を取り返すのは本当に大変です。そこで、損切りの回数が多くなっても気にせず、1回あたりの損失を小さくすることが、凡人の自分にとっては（現在のところ）最も効率的なリスク管理だと思っています。

昨年1年間でした損切りの回数は２００回を超えています。一度に売り切らず損切りをしたり再購入をしたりした結果、12回売却を重ねた銘柄もありました。投資勉強会を主催している立場でもありますが、負けの回数のほうが圧倒的に多い弱小投資家です。

このように、損切りの回数だけ見ると損ばかり大きく積み上がっているように思われるかもしれません。しかし実際には、タカトリで確定できた利益だけで、すべての実損を軽くカバーできています。

つまり、1銘柄でも、数倍から10倍くらい株価が上昇して大きく利益を伸ばすことができれば、小さな損切りを重ねたとしても、トータルで利益を得ることは十分に可能です。

むしろ損切りをして得た資金を、自信度の高い銘柄の追加購入に振り向けることができるのは大きなメリットです。損切りを抵抗なく行えるようにしてリスク管理を徹底することが、むしろ確度が高い銘柄に資金を集中させ、利益を大きく伸ばすことにつながっているのです。

相場動向に一喜一憂しない

機械的に損切りを行いつつ、私の目線は、常に個々の銘柄の開示や業績・株価動向に向いています。そのため、相場の局面や経済の動向は、最低限見る程度で、深く調べて売買に活用することは基本的にありません（うまく扱えません）。

マクロ環境については私より詳しい人がいくらでもいます。マクロの材料を活用した売買を行ったところで、タイミングが遅れてしまえば、より詳しい投資家の餌食になるだけですから、自分の力では良い結果は得られないでしょう。私はあくまでも個別銘柄に集中し、できる限り多くの一次情報を読み込んで、個別銘柄の材料を把握することに集中しています。

また地合いによる相場の上げ下げを受容し、個別銘柄の選定に集中することで、市場平均を上回るパフォーマンスを常に目標としています。具体的には、「地合いに関係なく、毎年日経平均を30％以上上回るリターンをあげる」ことを目標にしています。

確固たる材料があり、株価上昇が見込める銘柄をできる限り多く見抜いて投資し、同時に早めの損切りを徹底します。そうすることで、日経平均が大きくマイナスに落ち込む年でも、自分のポートフォリオのマイナス幅を抑制し、相場がよくなったときには保有銘柄の伸びを存分に享受する形を取りたいと思っています。

この目標を意識したのは、２０２０年のコロナ・ショック後のことで、その年は達成できなかったのですが、２０２１年、２０２２年とクリアしています。２０２３年もクリアするペースではありますが、少しでも多くリードできるよう引き続き頑張ります。

一方で投資に際して不安がないわけではありません。私の場合、２００８年に起こったリーマン・ショックより後の２０１５年に株式投資を始めているので、実は本格的な下げ相場をまだ経験していないのです。

この先、どこかの段階で長い下げ相場が来ることを覚悟していますが、指数をリードすることは常に意識して投資手法を磨き、目標達成を続けたいと思っています。

投資対象となる銘柄は「一次情報」から発掘する

ここまで私の投資手法について説明してきましたが、本書のタイトルにもあるように、読者の方が知りたいのは、タカトリのような銘柄を発掘する具体的な方法、さらにいえば、そういう銘柄だと思います。

そこで私のやり方ですが、まず、投資対象となる銘柄は、日々発表される適時開示に幅広く目を通しています。とはいえ兼業投資家の身で全上場企業の開示情報を見る時間はないので、基本的には、自身の好みである時価総額が小さい小型株を中心に見ています。

これもよくいわれていることですが、時価総額が数千億単位になってしまった銘柄がそこから10倍（数兆単位）になるケースはそう多くないと思われますが、時価総額が数百億・数十億の銘柄であれば、数倍～数十倍になることも多いからです。

ただし、小型株に絞るといっても、それでも時価総額1000億円以下の会社だけで一千社以上ありますので、それらすべての銘柄の開示情報を漏らさず見ていくのはそれなりに大変です。そこで私の場合は、「適時開示くん」というスマホアプリを活用しています。このアプリは、自分で設定したキーワードに該当する開示をピックアップしてくれるので、通勤時間を活用して開示をチェックするのに非常に重宝しています。

開示情報の中で特に注目しているのは「決算短信」「中期経営計画」「業績予想の修正」「受注」「月次情報」などです。月次情報とは、毎月の速報として売上高やＫＰＩ（重要業績評価指標）などを企業がＩＲの一環として公開するものです。

開示情報を見ていく中で、株価上昇の芽が感じられた銘柄の中から、業績の伸びと（近い将来の）ＰＥＲの水準から見てざっくりと自分なりの想定株価をイメージし、現在の株価との乖離が大きいものを選んで買っていきます。

また、開示された情報に対し、株価がすぐに反応するケースにも注目しています。たとえば開示翌日に株価がストップ高になるような銘柄があれば、検討するきっかけになります。開示の内容が、一般的な投資家目線でストップ高になるほどのプラスのインパクトがあったという証拠になるからです。

したがって、「ストップ高になったから、そこで買ったら高値掴みになる」と決めつけず、そこからさらに株価が伸びていくイメージが持てるかどうかを、さまざまな開示やＩＲ情報をつき合

●図46　高千穂交易の株価チャート

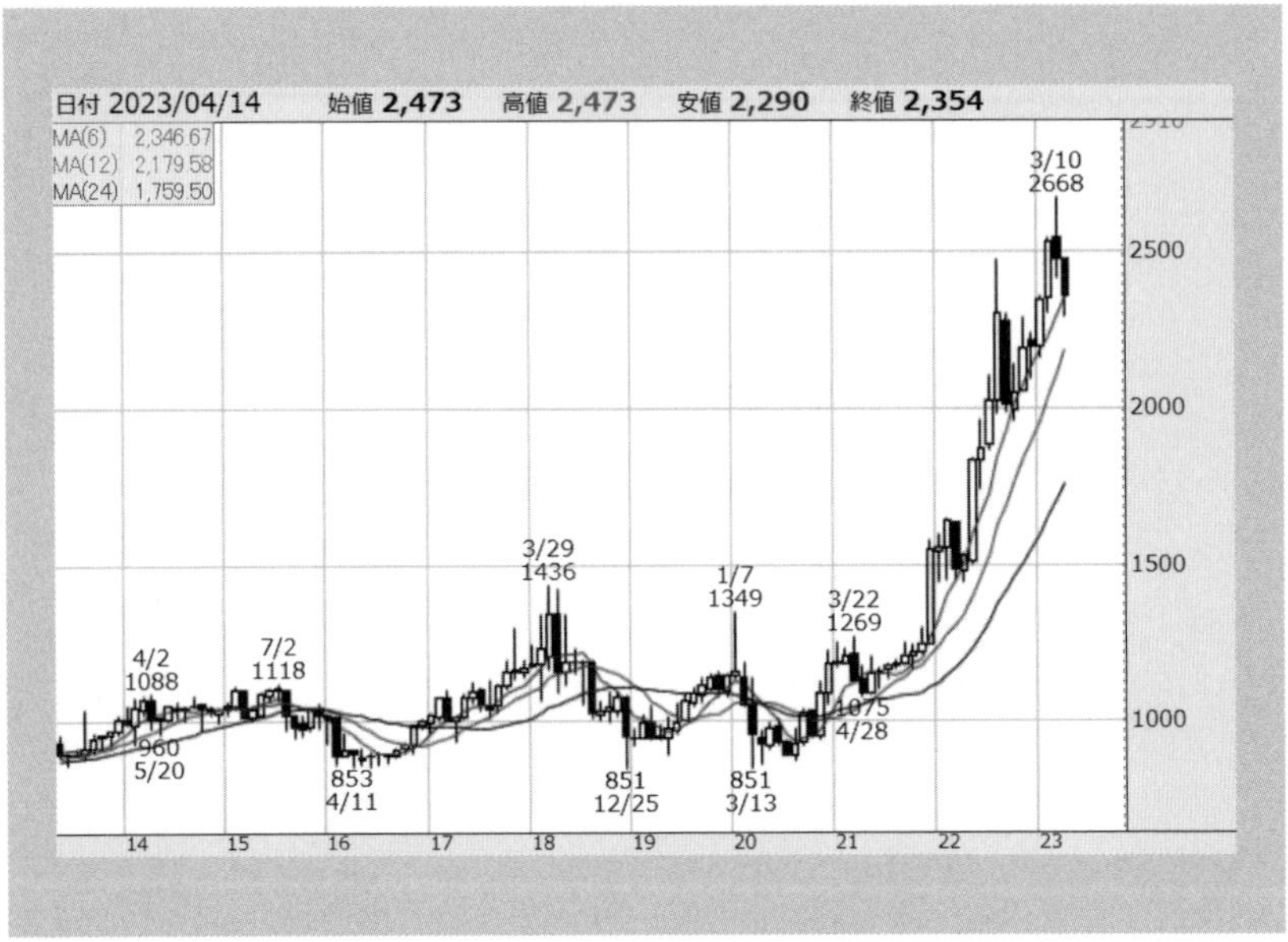

出典：株探（https://kabutan.jp/）

わせて検討していきます。とはいえ、結果的に買ってすぐ含み損になる場合も自分の場合はよくあります（ないほうがいいですが自分には無理です）。そのときは速やかに損切りして次に向かうのみです。

続いて少し視点は変わりますが、開示情報をきっかけに投資したもう1つの例として、高千穂交易（２６７６）を紹介します。同社はおもにクラウドサービスや商品の監視、入退室管理といったシステム機器を取り扱う技術商社です。

同社は２０２１年12月17日付の次期中期経営計画の骨子の開示において、株主価値の最大化を宣言し、ＲＯＥ10％達成に向けて成長戦略を推進し、同時に資本効率を高める方針を発表しました。その具体的な内容として掲げられたのが、２０２２年度から２０２４年度にかけて、ＲＯＥの３期平均が８％に到達するまで、配当性向を１００％にすることでした。つまり、利益蓄積をやめて全て投資家に分配すると宣言したのです。

それから3カ月後、同社が2022年2月8日に発表した中期経営計画によると、2025年3月期の当期純利益目標は14億円。EPSに換算すると約156円を目標としていました。

当時の株価は1500円前後だったため、業績が中期経営計画通りに進展し、株価が据え置きであれば、PERは10倍を切る割安水準になります。同時に、利益をすべて分配するので、配当利回りは10%を超える計算です。配当利回りが10%を超えるような銘柄であれば、その前に買われて株価が上がり、配当利回りは下がることが多いはずです。仮に配当利回りが5%（これでも市場平均を上回る）に落ち着くとしても、単純計算で株価は倍になります。

計画にあるように事業変革が進行していることに加えて、ROE向上と歩調を合わせて、同社は個人投資家向けのIRにも力を入れるようになりました。資本政策を前向きに捉えたことに加え、株価を向上させる意欲も感じられたため、購入を決めました。

2023年3月末時点で株価は2500円程度まで上昇しています（図46）。今のところはテンバガーでも何でもありませんが、投資開始時点から60%以上の上昇となり、想定した値幅を計算したとおりにとれたという意味で、自分としては再現性の高い取引だったかなと考えています。

『会社四季報』の使い方もいろいろ

先述したタカトリの内容について、「大口受注のインパクトが『会社四季報』の予想に反映されていなさそうだった点を評価した」と説明しました。

私は銘柄のピックアップにあたり、開示情報チェックのほかに『会社四季報』の通読も行います。読む際に意識するのはたとえば次のような点です。

・来期の『会社四季報』予想の売上・営業利益の伸びが大きいか
・新規事業など、将来の業績拡大を想起させる記載があるか
・一次情報から自身が想定している成長予想と数値イメージが合うか（ギャップの有無）

最近では『会社四季報』のオンライン版『会社四季報オンライン』で、『会社四季報』発売に先立って「四季報先取り」が公表されています。その段階で取り上げられた銘柄が人気化することも少なくありません。

こうなると、逆に書籍版の『会社四季報』発売が、「材料出尽くし」による利益確定のタイミングとなることも多くなります。そのため、『会社四季報』の使い方としては、自分が調べていない銘柄で「来期の売上・利益がこんなに伸びるの？」と感じた際に調査をするきっかけとしたり、逆に自身が調べている銘柄の場合は、「自身の想定と四季報予想のギャップがあるか」を確認し、売買判断の材料とする、という形にしています。

紙版の『会社四季報』のメリットは、網羅性・一覧性に優れており、暇なときにパラパラと基本情報のインプットや開示情報を見ながら辞書代わりに使うなど、利用価値は十分にあると思います。

『会社四季報』から次年度の業績伸長銘柄をピックアップする簡単な見方ですが、各ページ最上

●図47 『会社四季報』の銘柄ページ

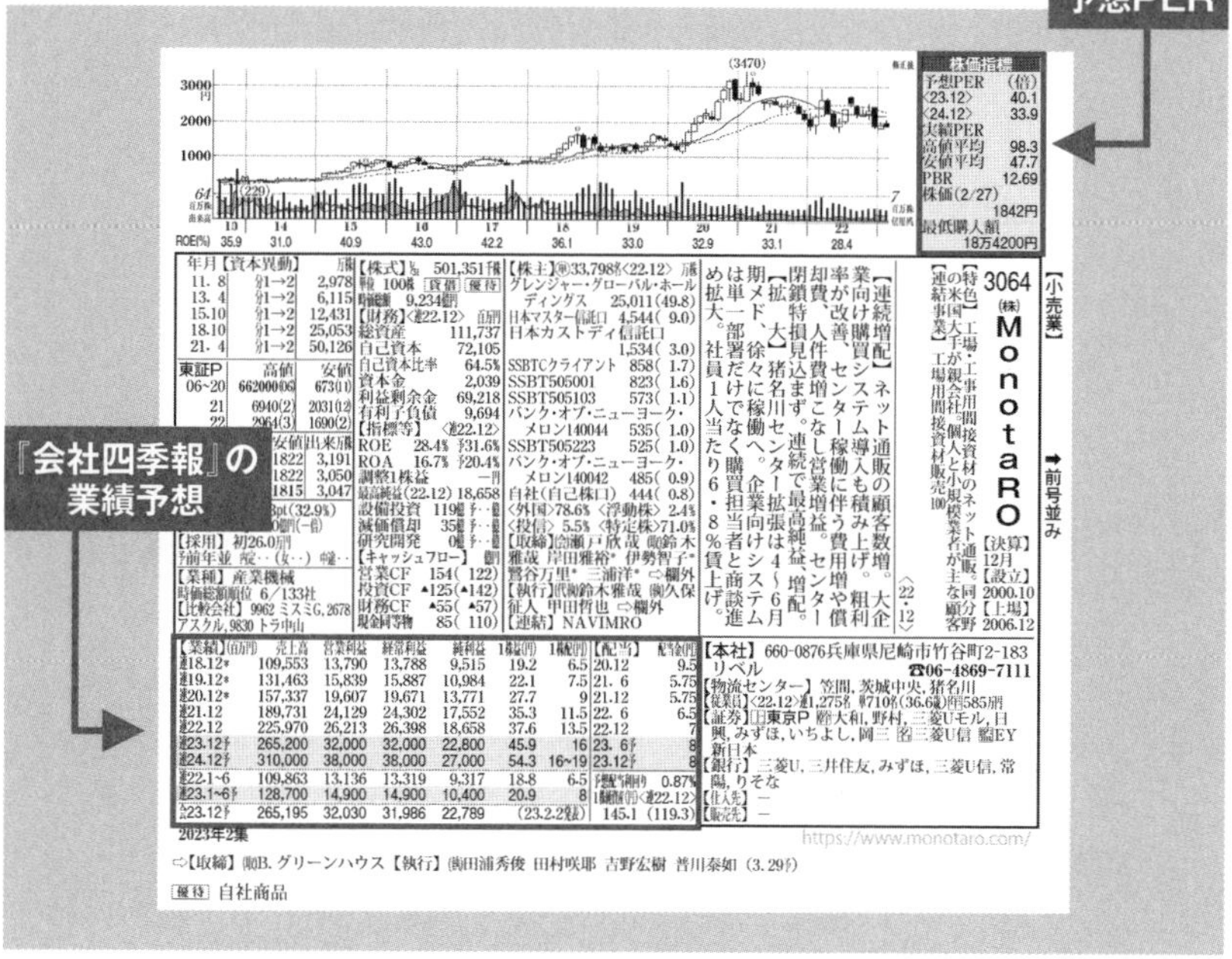

【業績】(百万円)	売上高	営業利益	経常利益	純利益	1株益(円)	1株配(円)
連18.12*	109,553	13,790	13,788	9,515	19.2	6.5
連19.12*	131,463	15,839	15,887	10,984	22.1	7.5
連20.12*	157,337	19,607	19,671	13,771	27.7	9
連21.12	189,731	24,129	24,302	17,552	35.3	11.5
連22.12	225,970	26,213	26,398	18,658	37.6	13.5
連23.12予	265,200	32,000	32,000	22,800	45.9	16
連24.12予	310,000	38,000	38,000	27,000	54.3	16~19
連22.1~6	109,863	13,136	13,319	9,317	18.8	6.5
連23.1~6予	128,700	14,900	14,900	10,400	20.9	8
会23.12予	265,195	32,030	31,986	22,789	(23.2.2発表)	

【配当】	配当金(円)
20.12	9.5
21. 6	5.75
21.12	5.75
22. 6	6.5
22.12	7
23. 6予	8
23.12予	8
予想配当利回り	0.87%
1株純資産(円)〈連22.12〉	145.1 (119.3)

段「株価指標」欄に記載の「予想PER」を見ます（図47）。1期目と比べて2期目の予想PERが急減している会社は、来期の純利益の伸びが大きいことを意味するので、簡易なピックアップを行うには有効と思います（但し、一過性の特別利益によるパターンに注意）。

『会社四季報』は、決算短信などを見る際にも参考にしています。『会社四季報』予想の売上高や利益より実績が大きく上振れた場合、株価にまだ織り込まれていない可能性があるからです。

また、ビジネスに変化が見られるかどうかも将来業績を見通すうえで重要なポイントになります。たとえばM&Aや海外への新規展開などの情報があれば、その会社が変わろうとしていることの現れで、検討を深めるきっかけとなります。

次に財務情報についてですが、個人的に財務については、収支ほど重視していません。「一定期間の保有で値幅を取る」スタイルに立った場合、財務内容が優良である（倒産しづらい）企業よりも、収益の伸びで見たほうが値幅・時間軸のイメージがわきやすいためです。財務を重視しすぎると成長性に欠ける銘柄を掴んでしまうことになりかねないため、キャッシュが著しく少なくないか、有利子負債が多すぎないか（業種にもよります）などの単純なチェックで「ひどすぎなければとりあえずＯＫ」という程度にとどめています。

ただし、キャッシュフローだけは必ずチェックします。企業は赤字を直接の原因として倒産するのではなく、資金繰りが回らなくなったときに倒産してしまうからです。最低限のリスクヘッジとして、営業キャッシュフローが（一時的要因でのマイナスを除き）プラスであるかどうかは念のため確認しています。

「中期経営計画」も重要な一次情報

開示情報や『会社四季報』からピックアップすべき銘柄は「業績が伸びていて、株価が割安な銘柄」で、そのなかで実際に買うべきは「業績の伸び率がさらに上がりそうな銘柄、あるいは、将来計画を織り込んだときにかなりの割安な銘柄」と考えています。

株価が割安かどうかについては、業績の成長性とのバランスで考えます。株価の割安・割高を考える代表的な物差しがＰＥＲ（株価収益率）です。

たとえば、現在のＰＥＲが40倍で、２年後に純利益が２・５倍になるとする中期経営計画が開示された銘柄があったとします。これが実現すると想定し、ＥＰＳ（１株当たり純利益）が２・５倍になって、かつ株価が現状のままだとすると、ＰＥＲは16倍まで下がる計算になります。

ご承知とは思いますが、ＰＥＲの計算式を見てみましょう。

ＰＥＲ＝株価÷ＥＰＳ

仮に株価が２０００円であれば、ＥＰＳが50円でＰＥＲは40倍です。そしてＥＰＳが２・５倍の１２５円になれば、ＰＥＲは16倍になります。

ただし、これほどの急成長を実現した企業の株がまったく人気化せず、株価据え置きでＰＥＲだけが下がるというのは現実的ではありません。

そこで控えめな想定として、ＰＥＲが30倍に下がるとしても、２年間で現在の株価から約88％上昇する計算が立つので、投資妙味があると判断できます。

これを計算式で表すと、次のようになります。

30＝ｘ÷（50×２・５）

30×１２５＝３７５０

３７５０÷２０００＝１・８７５（０・８７５つまり約88％上昇）

ここまでざっくり脳内ではじいたら、あとはその計画の実現性をどう見るか、ということになります。

●図48　Abalanceの株価チャート

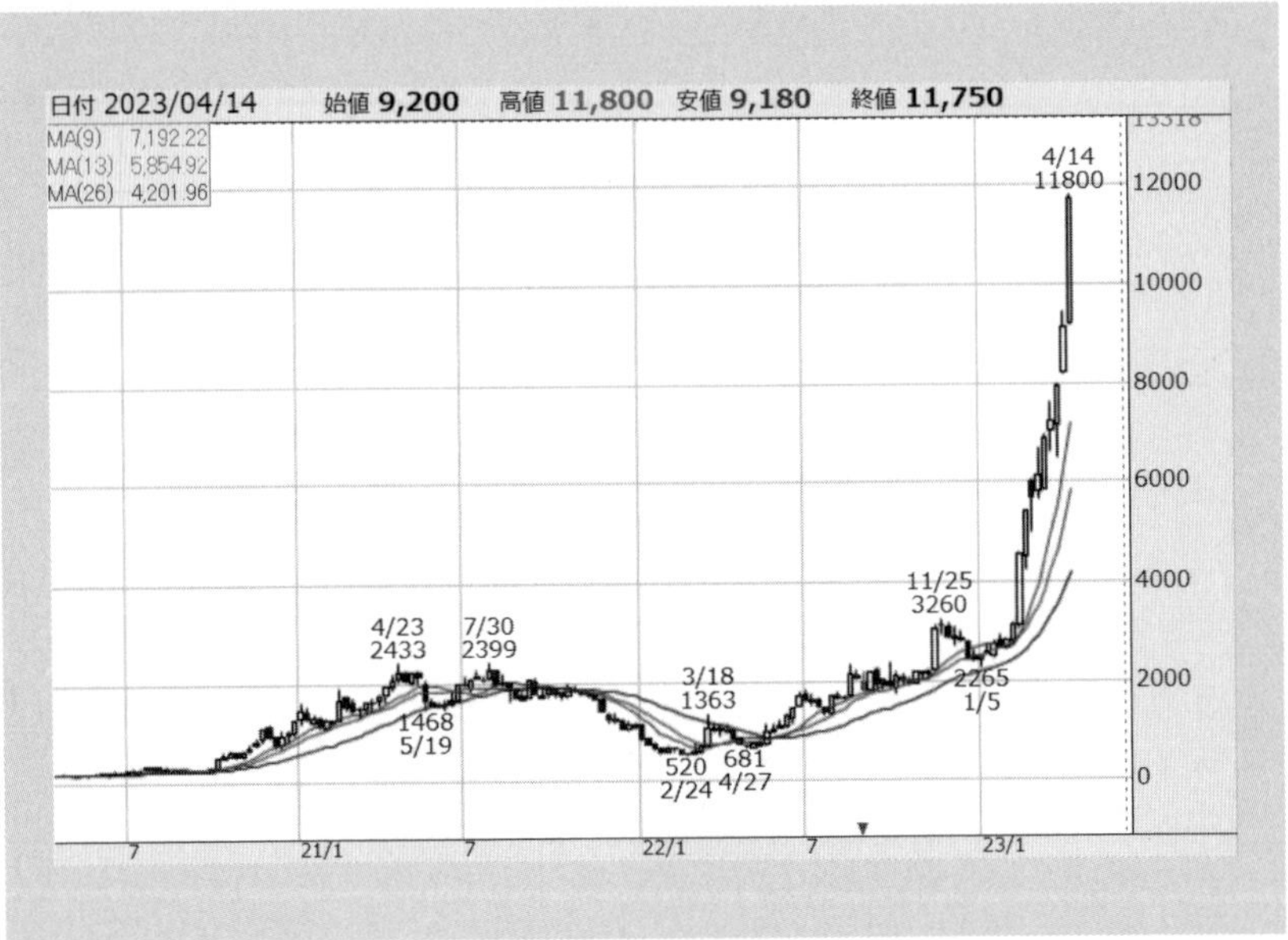

出典：株探(https://kabutan.jp/)

中期経営計画の実現性は、過去の計画と実績の対比（保守的な会社か、風呂敷広げがちであるか）や、同業他社のトレンドなども踏まえて判断します。一定信用に足る計画だと思えたら打診買いをして、その後は進捗や追加情報を追いかけつつ買い増しの判断をします。そして成長性が株価に織り込まれたと判断できるまで、含み損にならない限り保有を継続します。

このような考え方で段階的に購入した銘柄が、Ａｂａｌａｎｃｅ（３８５６）です。太陽光発電のパネル製造事業が主力で、海外での売上が非常に大きい銘柄です（図48）。

同社は２０２３年２月13日付で業績の上方修正を発表しました。売上高で16・7％、営業利益で68・7％と大きな上振れとなったのに続いて、さらに2月24日付で中期経営計画の再上方修正を公表しました。２０２４年６月期のＥＰＳが４８１円に修正されたのです。

発表当日24日の予想ＰＥＲが26・5倍で株価は５４２０円。ＥＰＳは２０４円でした。これが翌２０２４年の６月までにＥＰＳが４８１円になるとすれば、仮にそのときＰＥＲが15倍に下がっていたとしても株価は７２００円、20倍なら９６００円になると計算できます。５４２０円からの株価上昇の蓋然性は比較的高く、取れる値幅も一定大きいと判断して投資し、現在（２０２３年４月16日末現在）も保有を続けています（ただし、同社は財務内容的に増資リスクに注意）。

このような大幅な上方修正や、あるいは高進捗などの発表も、銘柄検討のきっかけとなります。

「小型」「業績」「株価位置」から探る10倍株候補

成長株を見つける方法として、私の投資手法をベースに一通りお話ししてきたところで、私が現時点（２０２３年４月末時点）で狙っている10倍株候補を２つ紹介します。

まず、私の投資手法でピックアップできる、株価が大きく跳ねる力を秘めた銘柄の条件を再掲します。

・時価総額が数十億円程度の小型株
・売上が伸びておりビジネスがしっかりしている
・株価位置が低位にある株

このような銘柄が順調に業績を伸ばしていけば、株価の割安さが意識され、反転するタイミングが来るでしょう。次の２銘柄は、そういった視点から選びました。

アピリッツ（4174）

オンラインゲームの運営やECサイト、ウェブシステムの受託開発を行っている同社は、売上高・営業利益ともに右肩上がりで順調に推移しています。しかし株価については、2023年3月17日発表の2024年1月期業績予想が、同日発売の『会社四季報』予想に未達で、大きな売りが出ました。2021年2月のIPO直後が天井で、2022年になってもレンジ相場での値動きです。

ただし、同社は業績が堅調であることに加え、IR取組みが非常に積極的な会社です。たとえば2023年3月23日の開示情報では、同社が、ツクルバ社、note社らとともに合計31社で「IRマガジン」を創刊したという発表がなされています。これは企業の枠を超えた共創IRで、投資家にIR記事を届ける新しい試みです。

短期で急騰のイメージはありませんが、少し長いスパンで見れば、株価反転の可能性は大いにあると見ています。何より株価の発射台が低くなっていますので、業績の伸びに角度がついたタイミングではとれる値幅が大きくなる可能性が十分にあるのではないでしょうか。

i-plug（アイプラグ／4177）

同社は新卒採用において、企業が学生に直接オファーを送ることができる採用支援サービス「O

●図49 アピリッツの株価推移

出典：株探（https://kabutan.jp/）

●図50 i-plugの株価推移

出典：株探（https://kabutan.jp/）

ｆｆｅｒＢｏｘ」を運営しています。２０２１年3月に東証グロース市場に上場して以降も、先行投資のフェーズにあり、２０２３年3月期は赤字決算となる見込みです。

そういった背景で株価は上場以降大きく下げていますが、売上は順調に伸びており、同業のワンキャリア（４３７７）のような将来の成長イメージを描き、黒字に復帰すれば株価が大きく反転する可能性があると考えます。

失敗続きだった私を変えてくれた「投資勉強会」

最後に、個人投資家向け投資勉強会の主催者としてお伝えしたいことがあります。

一般企業に勤務し、企業の財務諸表分析を日常的に職務としてやっていた私は、その知識と経験こそが株式投資を行う上での強みであると考えていました。株式投資を始めてから、しばらくは自己資本が潤沢で財務が手堅い銘柄を中心に投資していたのですが、このやり方では思うような結果が得られませんでした。

「倒産しない会社」と「株価が上がる会社」の違いに気づくのに時間がかかり、長い間苦しみました。

その後、東京に単身赴任した私は、投資の勉強会に参加する機会に恵まれました（「湘南投資勉強会」）。勇気を出して参加してみると、そこにはさまざまな方法や見方で株式投資を行い、成功している個人投資家がたくさんいました。

大きな刺激を受け、自分自身も定期的に学べる場を作りたい思いが強くなり、自分で投資勉強会を始めることとしました。

神戸に戻ってから、個人的な知り合いに声をかけて小さな会議室を借り、最初は10名程度の小規模で始めました。そこから段階的に大きくなっていき、今では神戸開催は1回に30～40人、東京開催では70～80人も集まる会となりました。人が多く集まれば得意とするところも異なります。手前味噌ですが、多くの他者の考え方・価値観に触れるには、こういった場の活用が有効と考えています。

投資の腕を磨くうえで、本書のような書籍やウェブサイトなどから情報を得ることを基本としつつも、勉強会を通じて他者の様々な考え方を知れるとモチベーションが上がりますし、自分の目が届かない銘柄を知るきっかけにもなると思います。

私が行っている勉強会は、なるべく敷居を低くして初心者でも気楽に参加していただけるよう心がけ、参加者みんなで学べる雰囲気づくりを重視しています。「上場企業のＩＲセミナー」と「個別銘柄ディスカッション」の2本立てで運営しており、ＩＲセミナーは過去に28社、延べ42回開催しました。銘柄ディスカッションは5名前後のグループを作り、それぞれが持ち寄った銘柄について議論していきます。

読者の皆さんもぜひ、こうした勉強会を、「企業の生の声」を聴くこと、個人投資家間のディスカッションを通じて「投資脳」を鍛える場として活用し、ご自身の投資にぜひお役立てください。

投資の極意は売買しないこと！ほったらかし投資はテンバガーへの近道

20年間さまざまな投資家の手法を学んできましたが、どれも習い事レベルの勉強ではとても太刀打ちできないとの結論に達しました。だったら株式市場を見ないようにしようという逆転の発想から、ほったらかし投資にたどり着きました。そして効率よくほったらかすにはどうしたらよいかを真剣に突き詰めて考えた結果、業界が伸びているかどうか、そこが一番重要であるとの結論に達しました。あとは分散投資です。たまに外れくじのような株もありますが、それらを一定量許容しながら結果を出すには、バランスよく分散することも大切です。定期的にポートフォリオのリバランスだけはして、あとは放置。その間に、いつのまにかテンバガーになっている銘柄を発見する、そのような投資手法で資産3億円を目指しています。

▶ とりでみなみさん

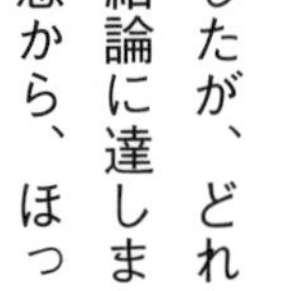

Twitter
@torideminami

超・長期投資を自称する兼業投資家。20代のときに50歳で3億円を貯めることを目標に掲げ、入金と分散投資を続ける。投資歴は20年で、現在の資産は2億円超。株式投資開始当時はバリュー投資を中心にしていたが、2017年頃から徐々にグロース投資に舵を切る。さまざまな個人投資家と交流するなかで知識として得た数々の投資手法について、初心者へ啓発するため全国各地で講演活動をしている。主な情報ソースは日経産業新聞。

どのようなスタンスで投資に取り組むかが大切

突然ですが、皆さんはどのようなスタンスで株式投資に向かおうとしていますか?

よく「株式投資って儲かるんでしょ?」という人がいますが、そんなに甘いものではありません。まず最初に、そのことを明確にしたいと思います。

具体的には、読者の皆さんが株式投資に向かう際、お金を「儲けたい」のか「稼ぎたい」のか「増やしたい」のか「貯めたい」のか、そのどれを目指そうとしているのかをはっきりさせるということです。

何かを始める際には、自分のスタンスや立ち位置が明確になっていないと大きな失敗のもとになります。

もしも「儲けたい」や「稼ぎたい」と思っているとするならば、それは株式投資を「事業として営もう」としているか「仕事にしよう」としていることと同義語です。

本当にその覚悟と意志をもっているのならば、何の問題もありません。通常の仕事をするのと同じように、それ相応の自分自身のリソース(時間や能力)を注ぎ込んで情熱をもって目指せばよいと考えます。

では先の「株式投資って儲かるんでしょ?」と発言した人は、その覚悟をもって臨むという意味で発言していたでしょうか。おそらく違うのではないかと思います。そこが、そんなに甘くはないと表現した理由です。

●図51　株式投資へのスタンス

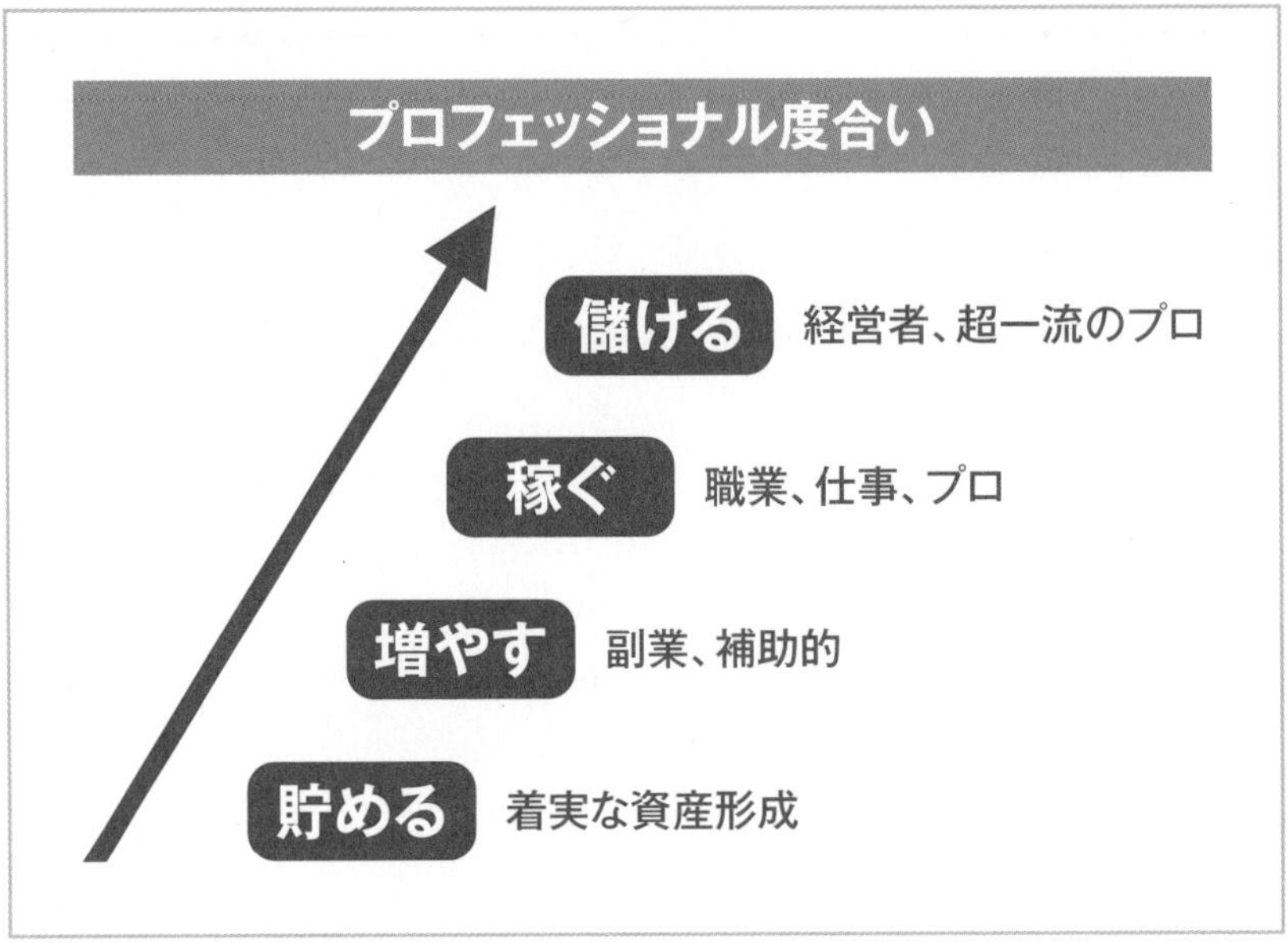

テンバガー狙いはアマチュア投資家向き

改めて、皆さんはどのようなスタンスで株式投資に向かおうとしていますか？

たとえばどんな習い事も、週に1度、2時間ほど教室に通います。それで年間100時間ほどになります。その100時間で身につくレベルが一体どのくらいのものであるか、習い事をされたことがある方なら大体想像がつくと思います。プロフェッショナルになるためには、少なくともそれ以上の労力と情熱が必要なことは想像に難くないと思います。

私は人生でやりたいことや楽しみたいことが、株式投資以外にもたくさんあります。株式投資に割く時間はできるだけ削りたい。そのため副業ですらない「貯める」ことを選択しました。故に、長期投資を主軸の投資スタイルとしています（図51）。

ですので、私は完全なるアマチュア投資家です。プロフェッショナルではないと自認していますし、プロを目指さないと逆の覚悟を決めています。年にいくつもの講演会でお話しする機会をいただきますが、最近では冒頭でまずこのお話をします。

この本に書かれているような10倍株を持つことができる投資スタンスは、私のようなアマチュア投資家の特権といっても過言ではない投資スタイルだと思っています。その理由をこれから述べていきたいと思います。

ちなみに、もう1つこの本には「月10万稼ぐ」というタイトルがついています。私はこの表現には若干躊躇する部分もあるのですが、月10万円の配当金を得られるところまで投資を続けるという意味で解釈しています。

アマチュアは売買をするから損をする

株式投資では9割の人が損をすると言われます。私は趣味で行動経済学を学んでおり、その内容を講演会でお話しすることもありますが、行動経済学の観点から見ると、この結果はすごく納得のいくものです。

私が株式投資の師と仰ぐＷＷＷ９９４５さんがおっしゃっていたことに「心の赴くままに売買をしたら、必ず損をする。売買をしていて、どこか気持ち悪い部分がないと投資では勝てない」

と仰っていたのですが、まさにその通りだなと思います。

売りたいから売る、買いたいから買うを繰り返していると、急騰で買い暴落で売るといった売買になりがちになります。これは人間としてとても自然な行動であり、進化の過程でそのように脳にプログラミングされてきたと言っても過言ではありません。

投資格言の1つで私が一番好きなものに「人の行く裏に道あり花の山」というものがあります。この格言が好きな有名個人投資家は非常に多いのですが、株式市場で利益を得るためには、他人とは逆の行動をとらなくてはならないということです。

しかし、脳科学の研究から行動経済学で示されるような行動に逆らって動くことは非常に難しくかつストレスの溜まることだとも近年わかっています。

私は、このストレスから解放されるために、あえて長期投資というスタイルを選択しました。売買しなければ、このようなストレスは発生しません。売買せず保有し続けること、それは10倍株を目指す投資ととても相性がよいということになります。

10年以上先の未来を想像して投資

前置きが長くなりました。私自身は、長期投資家のさらに上を行く、超長期投資家を自称しています。10年以上先の未来を想像して、その想像の世界できっと流行っているであろうものを探して投資をするというスタンスで臨んでいます。

そのため、基本的に売買をせず、できるだけ放置できるような投資を心がけています。参考に私のポートフォリオの上位10銘柄を挙げておきます（図52）。大型株の比率が多く、特に半導体関連が多くなっています。

私は半導体に明るい未来を描いています。理由は2つあります。

1つはエネルギー問題です。地球上の資源はすべて有限ですが、地球外から降り注ぐ太陽のエネルギーはほぼ無限です。その無限のエネルギーを人類が活用しようとしたときに一番有力なのが太陽光発電による電気です。電気の制御には必ずと言っていいほど半導体が必要になります。この流れは不変であると考えています。

もう1つは、半導体を活用したセンサーで、優秀で小型で安いものが開発されれば利用用途は無限大に広がると思うからです。たとえば、現在お弁当の賞味期限は機械的に製造時点からの経過時間で決められていますが、本来ならそのお弁当がどういう状況下にどれだけ置かれていたかで決まってよいように思います。

もし安いセンサーの半導体ができ、お弁当箱1つ1つに搭載し、自動的に賞味期限を設定することができたら、食品ロスが大幅に減らせるかもしれません。需要が無限大に広がる可能性があるなら、売上も増える可能性が大きくあるのではないか、そのときに利益を得られるのはどの企業になるのか、そのように考えて銘柄を選んでいます。

ちなみに半導体業界は景気の変動によって価格が上昇したり、下降したりするシクリカル銘柄（景気敏感株）の代表格です。値動きも激しく長期保有には向かないとよくいわれます。当然のこ

●図52　10年後を意識したポートフォリオ

順位	証券コード	銘柄名
1位	8035	東京エレクトロン
2位	7818	トランザクション
3位	2760	東京エレクトロン デバイス
4位	4063	信越化学
5位	7685	BuySell Technologies
6位	7839	SHOEI
7位	4568	第一三共
8位	1925	大和ハウス工業
9位	7071	アンビスホールディングス
10位	6039	日本動物高度医療センター

●図53　とりでみなみが達成したテンバガー3銘柄

テンバガー銘柄	証券コード	テンバガーにかかった年数
SHOEI	7839	15年
東映アニメーション	4816	8年
弁護士ドットコム	6027	3年

となが ら景気が悪化傾向にあると判断できるとき、半導体株もかなりの確度で株価が下落すると予想できます。実際に下落します。しかし、そう予想できても私は売却しません。

この行動に多くの人は不思議がることでしょう。下落がわかっているのなら売却するのが普通ですから。

未来が描ければ短期の値動きは気にしない

なぜ売却しないで保有し続け含み損を抱えるのか。それは、仮に株価の下落を予想できて売却したとしても、買い戻せなくなる可能性があるからです。どこで株価が反転し回復に向かうかを当てることが難しいからです。

もし、正確に下落傾向の後、株価の底を当てることができたなら買い戻すことができるでしょう。しかし、実際にはどこで買い戻すべきかの判断が難しいのです。

たとえば1000円で売ったものが999円になったら買い戻すのか990円になったら買い戻すのか、そのようなことを考えていたらデイトレーダーやスイングトレーダーと何ら変わらなくなってしまいます。

長期投資をする際には、売却して現金化しておくという発想はあまり適さないというか、それ自体がすでに長期投資家という定義に当てはまらないというように思います。なので、下落が予想されても長期で考えて明るい未来が描けているのならば、短期間の値動きは気にしても意味がないと考えているのです。

どんな銘柄がテンバガーに近いのか

このように超長期投資を自称しているのに、これまでテンバガーを達成した銘柄は図53に記載したわずか3銘柄しかありません。それには、私の投資スタイルの変遷が関係しています。

私が投資を始めた2001年頃は失われた20年の真っただ中でした（当時は失われた10年といわれていましたが）。そんな相場環境で、それでも投資をする場合、メインの手法はバリュー株投資でした。割安に放置された株を買うが、それがさらに割安になっていくのを株主優待や配当金目当てで保有し続け耐え忍ぶというスタイルです。

バリュー株は長期で保有してもテンバガーになりにくい株です。そもそも期待されていなくて買われず割安になっているわけですから、株価も上がりにくいのは当然です。そのためグロース株と呼ばれる、皆の期待を集められる銘柄が候補となるわけです。私が本格的にグロース株投資へシフトしたのが2017年からになるため、テンバガー界（そんなものがあるかは知りませんが……）では割と新参者です。

さて、一方で、テンバガーになる銘柄には大きく2通りあると考えます。

①業績拡大に伴い株価がじっくり上がっていくパターン
②短期的なブームに乗って期待が膨らみ株価が一気に上昇するパターン

私がテンバガーを達成した3銘柄のうち、SHOEI(7839)は①、弁護士ドットコム(6027)は②、東映アニメーション(4816)は①と②の両方の要素を持っていました。②の場合は、その後に株価が大きく下落するのが特徴です。

テンバガーの王道は市場が伸び続けること

私のテンバガー銘柄で1つ目にご紹介するのは二輪車用の高級ヘルメットを製造しているSHOEI(7839)です(図54)。この企業の成長が私にとっては理想形です。

私がSHOEIを購入したのは2005年でした。時価総額はまだ120億円程度の企業でしたが、製造業であるにもかかわらず利益率が10%を超える高付加価値製品を販売していました。売上の主力は欧州でしたが、これから10年以上をかけて東南アジアの国々が経済発展をすると、バイクのヘルメットがいずれ義務化され、その先には命を守るために高級ヘルメットを購入するようになるだろうと考えました。そうなれば市場規模は一気に拡大します。

それに伴って、会社の規模も大きくなるだろうと予想しました。仮に1000円の安いヘルメットを製造する業者が現れても、命を守るためのヘルメットを1000円のもので済まそうという人がどれだけいるかを考えたら、ただ安いだけの製品に負けることはないわけです。

このSHOEIですが、実は2008年後半から5年間は含み損を抱え、株価が半値以下になっていたこともありました。しかし、それでも保有し続けられたのは、この企業の将来性にまっ

●図54　SHOEIの株価推移

出典：株探（https://kabutan.jp/）

たく不安がなかったからです。

バイクは世の中からなくなっていないし、強豪となる強いライバルが新しく現れたわけでもなく、東南アジアの経済成長は続いていました。私が当初描いていたシナリオはまったく崩れていませんでした。あれから18年経ちますが、当初描いたシナリオのまだ途中にあり、まだまだ業績を伸ばしていけると思っています。

上場企業同士の合併や新株発行などがなければ、基本的に株価は企業の成長とともに値上がりすることになります。

年利13％で会社の規模が大きくなると、19年後に会社の規模は10倍になります。

年利20％で会社の規模が大きくなると、13年後に会社の規模は10倍になります。

テンバガー投資において私が一番大事に考えているのは業界規模が伸び続けているかどうかです。たとえば規模が１００億円でこれ以上伸

●図55　時価総額におけるテンバガー達成の図

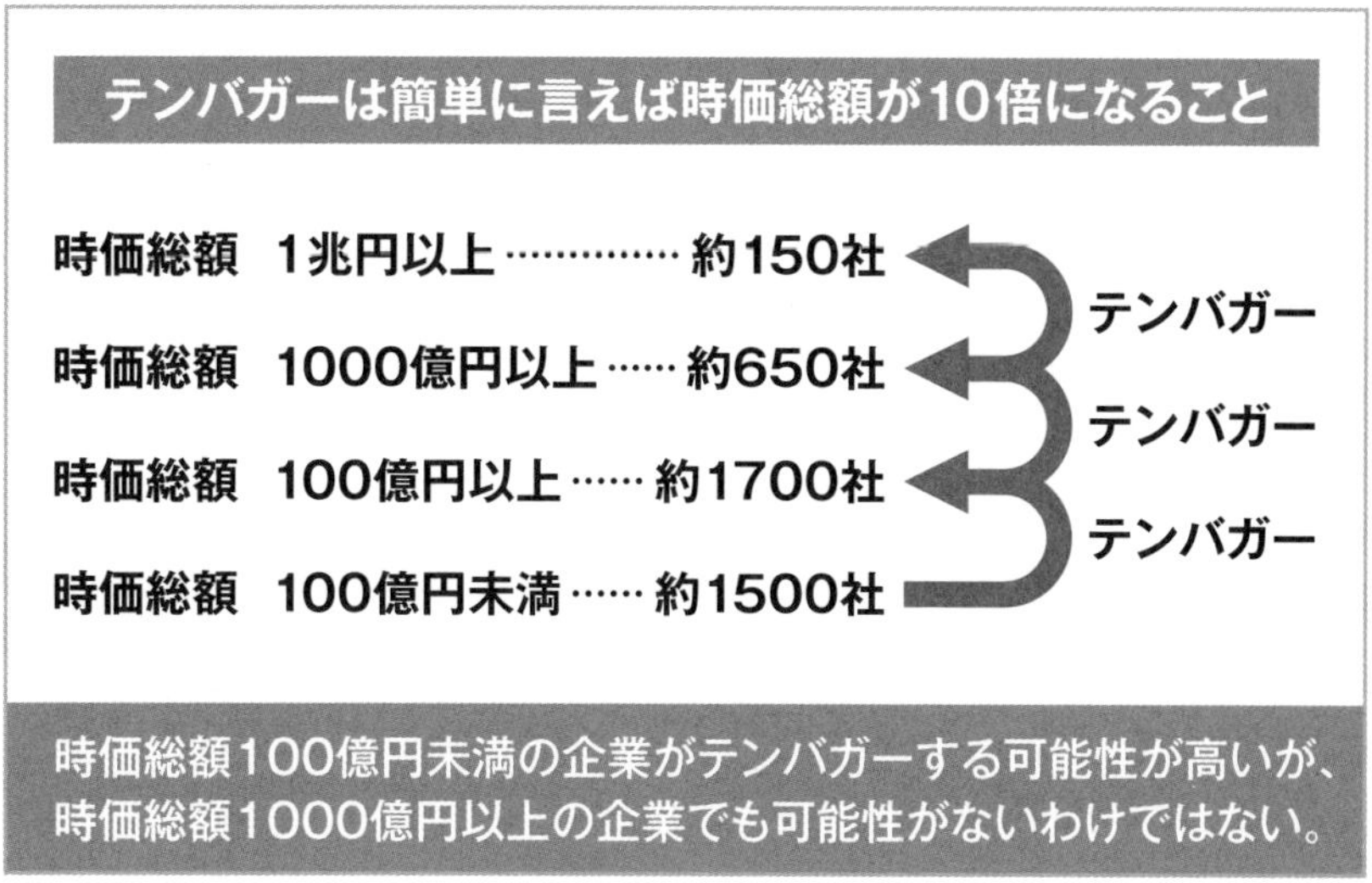
テンバガーは簡単に言えば時価総額が10倍になること
時価総額　1兆円以上……………約150社
時価総額　1000億円以上……約650社
時価総額　100億円以上……約1700社
時価総額　100億円未満……約1500社
テンバガー
テンバガー
テンバガー
時価総額100億円未満の企業がテンバガーする可能性が高いが、
時価総額1000億円以上の企業でも可能性がないわけではない。

びていかない業界であれば、たとえ独占企業であっても売上は１００億円以上にはなりません。反対に、業界規模が伸び続けている場合は、売上を伸ばす余地が生まれ、それが期待となって株価にも反映されます。

その考え方から、私にとっては飲食業は買いづらい面があります。実際は、飲食業からもテンバガー銘柄は出ますが、国内の飲食業界は人口減少の中、大きく増加する未来を想像しがたいためです。

ちなみに規模という意味では、テンバガーは時価総額が１００億円未満の企業に出やすいという話がよくされます。

図55に示した通り、確かに時価総額別に企業数を並べてみれば数の関係からもそれはいえます。しかし、では時価総額１０００億円の企業はテンバガーにならないかといえばそうではありません。そのときは時価総額１兆円の企業に

成長しているということにほかなりませんので。

原価のかからないビジネスは利益が伸びやすい

２つ目にご紹介するのはワンピースやプリキュアといった人気シリーズをコンテンツとして抱えている東映アニメーション（４８１６）です（図56）。

私が購入したのは２０１３年で、８１０円で３００株、約24万円で購入しました。３００株というところがポイントになります。この会社は株主優待を実施していて、自社コンテンツをプリントしたＱＵＯカードがもらえます。１００株だと1セットだけなのですが、３００株だと２セットに増えます。コレクターとしては2セット欲しいので３００株にしました。

この株を購入したのは、コンテンツビジネスであるという点です。通常、企業活動で売上を伸ばそうとすると、工場の設備だったり原材料だったりを購入する必要があります。しかしコンテンツビジネスは、売上を伸ばす際に原価が非常に少なく、利益の伸びが大きくなります。最近のウェブ系ビジネスの企業とも共通します。

実際は優待目当ての側面が強く主力銘柄としていなかったため、２０２1年にものすごく株価が上がっているというツイートを見かけるまで値上がりしていることに気づかず、気づいたときには20倍を超えて約24万円が５００万円を超えていました。私の人生初のテンバガーはこの銘柄だったことにあとから気づきました。

●図56 東映アニメーションの株価推移

出典：株探(https://kabutan.jp/)

ちなみにこのときの株価は指標から見てかなり割高な水準と考え、優待を1セットあきらめる形で100株だけ残して200株売却しました。最終的に30バガーまで行きましたが、現在は、私が売却した金額よりも株価は下値になっています。

テンバガーを達成する銘柄に多いのが、高値を付けた後に半値近くまで値を下げてしまうような値動きです。一時期の人気やブーム、需給のゆがみなどで瞬間風速的に達成することがよくあります。そんなとき、単元株である100株しか保有していないと、取れる戦略が「保有し続ける」か「売却する」の2択になってしまいます。この2択はとてもつらく難しい決断になります。

そこで、先のように、複数単元保有していれば上記のほかに「一部売却」という選択肢が増えます。この戦略が増えることは絶大な効果があります。さらに値上がりしたときには、残っられ、どちらに値が動いても精神衛生上とても有効です。

多少割高でも1年後も割高であるならば買える

最後にご紹介するのは弁護士ドットコム（６０２７）です（図57）。私が購入した２０１７年時点で、本業は弁護士向けサービスを主力とする事業を営んでおり事業は手堅く成長している中、クラウド契約サービス「クラウドサイン」を育成しようとしているところでした。

私も契約書のやり取りには膨大な時間と労力がかかっていることは知っていましたが、法律上及び制度上仕方のないことだと思い込んでいました。しかし、このサービスでは契約者同士がクラウド上でやり取りをするだけで、きちんと有効な契約が結べ、なおかつ印紙代も不要でよいという話を聞いて、事業そのものに非常に魅力を感じました。ただ、１点難点がありました。購入を検討した時点でＰＥＲ80倍と、通常の感覚では割高に思えて手が出しづらかったのです。周囲の投資家に話をしましたが、どの人もビジネスはとても魅力的だけれど、株価が高すぎて買えないという反応でした。私を購入に導いた点には３つの要因があります。

１つ目は、とある会計士の言葉からです。彼はとても優秀な会計士で財務分析から事業分析まで本当に的確にできる人なのですが、なかなか株では儲からないといいます。株価が上がっている銘柄を分析すると、ＰＥＲが高すぎて誰がこんな値段で買うんだと思う株が１年後に２倍にな

●図57　弁護士ドットコムの株価推移

出典：株探（https://kabutan.jp/）

っている、しかもその時点でも割高に見えてやはり買えない、というのです。そこで私は、1年後も同じような期待が続くのであれば、多少割高でも購入してみようと決めました。バリュー投資家からの卒業です。

2つ目は、本業がしっかりしていることです。仮に期待される新規事業が伸び悩んでしまっても、会社自体の価値はしっかりと残るはずという安全域があるということです。

3つ目は、しっかりと調べるということです。私はシステムエンジニアでもあったことから、クラウドサインが展示されている技術展に足を運び、担当者と技術的な優位性や競合他社との差別化の話、今後の展望などの話をしました。個人的にはIRに確認するよりも、現場の技術者の声のほうが素直でより実態に近い真実の声を聞ける気がしています。

このような経緯で、このPER80倍の株を購入しました。結果としては、コロナによる出勤規制の中で銘柄として注目されたこともあり一気に株価が上昇してテンバガーを達成しました。ただ、PERが1000倍を超えるほど急騰したため、いったん将来の企業価値を十分織り込んだと判断して全株売却しました。この経験から、今は本業がしっかりと営まれている中で、利益率の高い新規事業に乗り出そうとしている企業を選んで投資するようになりました。

逆テンバガーの悪夢はもう二度と繰り返さない

テンバガーという話ばかりしましたが、逆に株価が買い値の10分の1になってしまう逆テンバガーというのも1銘柄経験しています。それは、フェイス（4295）という銘柄です（図58）。1999年12月に、フェイスが提唱した携帯電話の着信メロディの新フォーマットがNTTドコモのデジタル・ムーバに採用され、3和音の着メロ配信がスタートし事業を急拡大。私自身は着メロにはまったく興味はなかったものの、友人に勧められるまま購入したのが2003年でした。

その後、着メロ自体が衰退していく中で、フェイスも新しいビジネスを次々と提案、面白いことを試みている会社だなと思い見ていました。

しかし、どのビジネスも大きな成果を出せないまま株価もひたすら右肩下がりを描き、結局、株価が買い値の10分の1となったところで、区切りとして株を売却しました。この経験が先の弁護士ドットコムを買った理由の2つ目に挙げた、手堅い本業がしっかりあることにつながってい

●図58 フェイスの株価推移

出典：株探(https://kabutan.jp/)

ます。はやりすたりが激しい中で、新しい斬新なビジネスと思われたものがわずか数年で衰退してしまう、難しい時代だなと実感させられた売買でした。おそらく今後、私が投資をする際は株価が10分の1になるまで保有し続けることはないと思います。なぜなら、信じるビジネスモデルが壊れていないのに株価が4分の1や5分の1になるようなら、自分自身の見立てのほうが間違っていると考えたほうが正解に思えるからです。早めに損切りを行って、また別の銘柄に資金を移動させたいですね。

セック（3741）

最後に、私が期待も込めて、将来テンバガーに成長するのではないかと考えている銘柄を紹介します。

セック（3741）は、「はやぶさ」など宇宙関

●図59　セックの株価推移

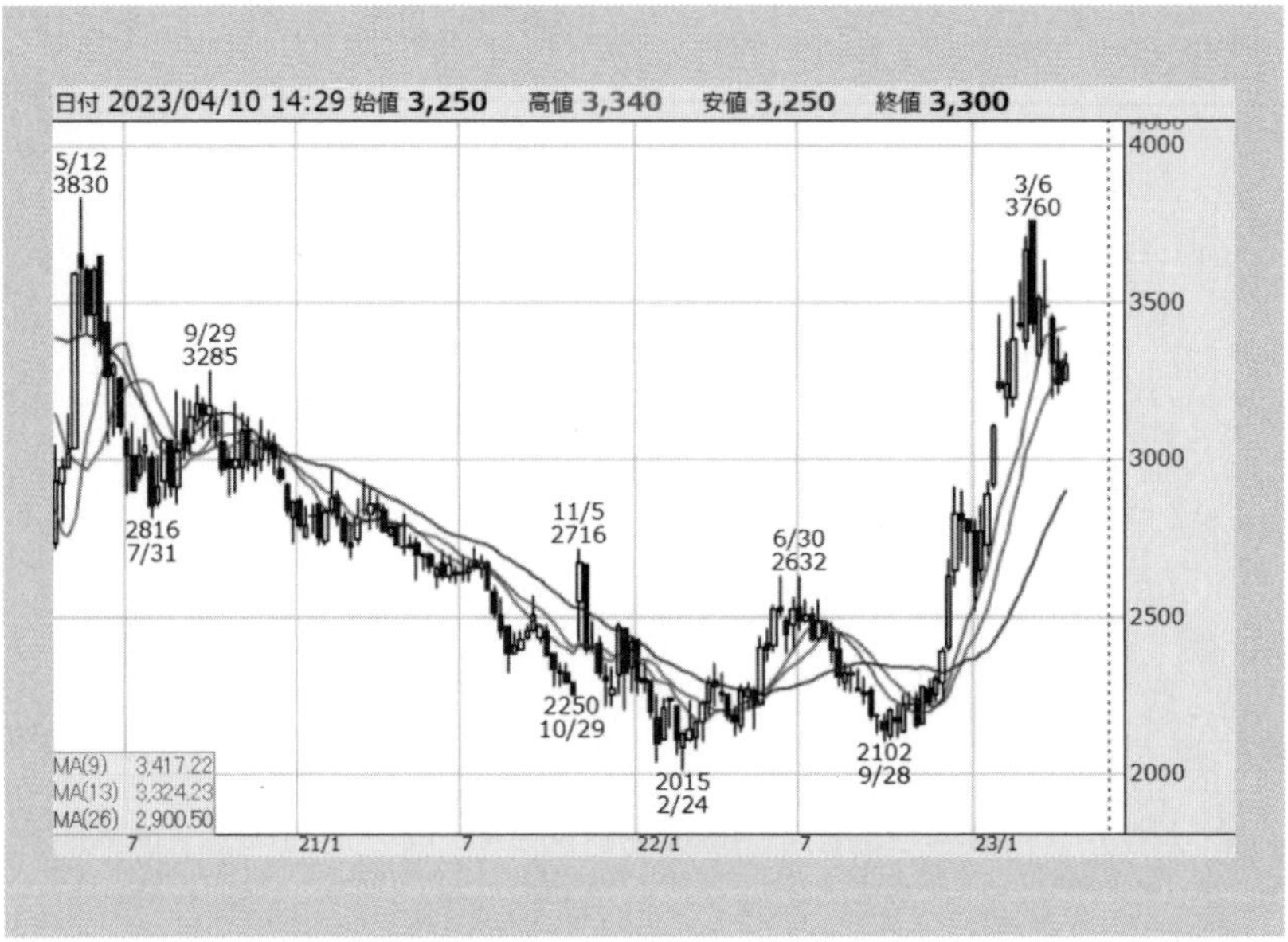

出典：月次Web (https://kabubiz.com/getuji)

係のソフトウェア開発を受託している企業。２０２２年度補正予算と２０２３年度当初予算案の宇宙関連予算の総額が６１１９億円と、２０２１年度補正予算と22年度当初予算の合計に比べ９００億円（約15％）増えました。政府も成長につながるよう関係省庁と連携して宇宙政策を推進するとしています。

ウクライナ戦争では衛星情報が軍事作戦に大きな影響を与えることがわかりました。日米安保の対象を宇宙空間にも拡大することや航空自衛隊を「航空宇宙自衛隊」に改称する方針が示されるなど、宇宙分野はまだまだフロンティアであり、これからも市場が拡大していくことは間違いありません。セックは時価総額がまだ１７０億円程度であり、宇宙関係の売上比率もある程度あることから取り上げました。この市場が拡大する宇宙分野であれば、ほかにもよい銘柄はあるものと思います。

月10万稼ぐポートフォリオ

短期間の2バガーは狙って達成することも可能だと思いますが、テンバガーはとても運の要素が強いです。さまざまな要因が積み重なって達成されるものであり、可能性や確率を上げることしかできないものと思います。

20年といった長期間の運用を前提とすれば運の要素は減るかもしれませんが、逆に20年もの長きにわたって業界の変容や再編などが起きないのも考えづらいです。

そんな中で、私がお勧めするのは、テンバガーも狙えそうな銘柄を10銘柄程度に分散し、ポートフォリオを組むことです。

もちろんテンバガー銘柄を持つことが投資での絶対的成功を意味するわけではありませんが、それでも大きく値を上げた銘柄がポートフォリオの中に1つでも存在すると投資成績は上がりやすくなります。

仮に30万円を10銘柄に分散して投資した場合のポートフォリオを例として掲載しました（図60）。10倍とはいわないまでも、2倍や3倍といった銘柄がポートフォリオの中にあると、損失が出ている銘柄を大きくカバーしてくれる様子がわかるのではないでしょうか。

売買せず放置し大きく伸びる株を保有し続けることの優位性をアマチュア投資家は目指すべきだと個人的には思います。

もう1つ最後に、購入する株は複数単元持つことを心がけてください。
前述しましたが最近、これがとても重要だということに気づき始めました。仮に表のようなパフォーマンスになったポートフォリオを放置し続けると、テンバガーになった株の値動きで資産の上下が決まってしまうことになります。できることなら1銘柄当たりの評価額に大きな偏りがないほうが理想です。そのためにも一部売却が可能なように、複数単元持っておきたいです。図60右上のサンプルでは300万円を元手に900万円になる事例を書きましたが、たとえば理想はこのセットを、入金を繰り返してあと2つ作ることです。元手が900万円で投資結果2700万円となれば、配当利回り4・5%で年間配当が121万5000円（税込）となります。これで月平均10万円の収入を確保することができます。

●図60 分散投資でテンバガー狙いの長期投資における利点

	投資金額	結果	投資結果
銘柄1	30万円	10倍	300万円
銘柄2	30万円	半値	15万円
銘柄3	30万円	半値	15万円
銘柄4	30万円	半値	15万円
銘柄5	30万円	半値	15万円
銘柄6	30万円	半値	15万円
銘柄7	30万円	半値	15万円
銘柄8	30万円	半値	15万円
銘柄9	30万円	半値	15万円
銘柄10	30万円	半値	15万円
合計	300万円		435万円

1銘柄以外、
半値になってもプラス

	投資金額	結果	投資結果
銘柄1	30万円	10倍	300万円
銘柄2	30万円	5倍	150万円
銘柄3	30万円	5倍	150万円
銘柄4	30万円	3倍	90万円
銘柄5	30万円	2倍	60万円
銘柄6	30万円	同値	30万円
銘柄7	30万円	同値	30万円
銘柄8	30万円	同値	30万円
銘柄9	30万円	同値	30万円
銘柄10	30万円	同値	30万円
合計	300万円		900万円

半分株価がさえなくても、
株価が伸びた銘柄がけん引

	投資金額	結果	投資結果
銘柄1	30万円	5倍	150万円
銘柄2	30万円	5倍	150万円
銘柄3	30万円	3倍	90万円
銘柄4	30万円	3倍	90万円
銘柄5	30万円	同値	30万円
銘柄6	30万円	同値	30万円
銘柄7	30万円	同値	30万円
銘柄8	30万円	同値	30万円
銘柄9	30万円	半値	15万円
銘柄10	30万円	半値	15万円
合計	300万円		630万円

半分以上が同値か半値でも、
全体では2倍にできる

	投資金額	結果	投資結果
銘柄1	30万円	4倍	120万円
銘柄2	30万円	4倍	120万円
銘柄3	30万円	3倍	90万円
銘柄4	30万円	3倍	90万円
銘柄5	30万円	2倍	60万円
銘柄6	30万円	2倍	60万円
銘柄7	30万円	同値	30万円
銘柄8	30万円	同値	30万円
銘柄9	30万円	半値	15万円
銘柄10	30万円	半値	15万円
合計	300万円		630万円

4倍程度の銘柄があるだけで、
全体パフォーマンスは押し上げられる

300万円×3回の入金で資産を3倍に増やせれば、
2700万円×4.5％（配当利回り）＝121万円（年間配当）
➡毎月約10万円の収入を実現！

「逆指値」を有効に使う
テンバガー獲得に不可欠な「損切り」の方法

重要なのは損失を最小限に抑えること

テンバガーをゲットするには、損失を最小限にすることが重要です。そこにこだわりすぎるあまり、資産を減らしてしまったら本末転倒です。そこで、ある程度の損失が出たときに、株を売却して損失を確定させる「損切り」という方法を用います。損切りは、利益が出たときに株を売って利確（利益を確定）する「利食い」と対をなす用語です。

株式投資で「損をしたくない」という気持ちは誰にでもあります。だからといっていつまでも下がり続ける株を持ち続けていると、損失はさらに拡大します。そこで、ある程度まで株価が下がったら自動的に株を売って損失を最小限に抑える損切りを行うのです。

損切りを機械的に行うためには、「逆指値注文」を利用すると便利です。ネット証券などでこの逆指値注文を設定しておけば、自分の感情とは関係なく機械的に売買（強制決済）をしてくれるので、売りの際に迷いが生じる余地もなく、それ以上損失を拡大させることはありません。逆指値注文の具体的な方法は図62を参照ください。

●図61　損失を最小限に抑える「損切り」

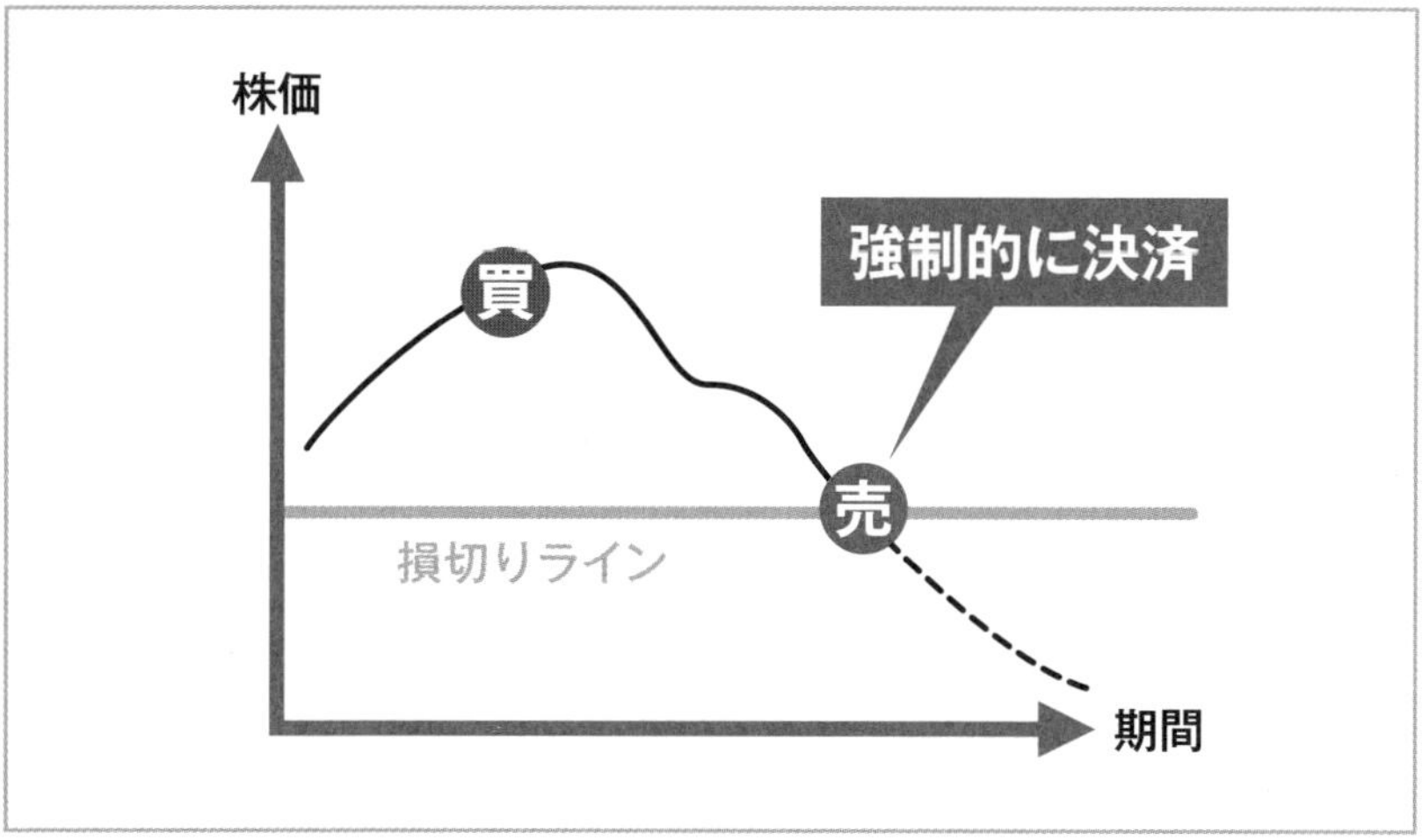

●図62　「逆指値注文」の具体的なやり方

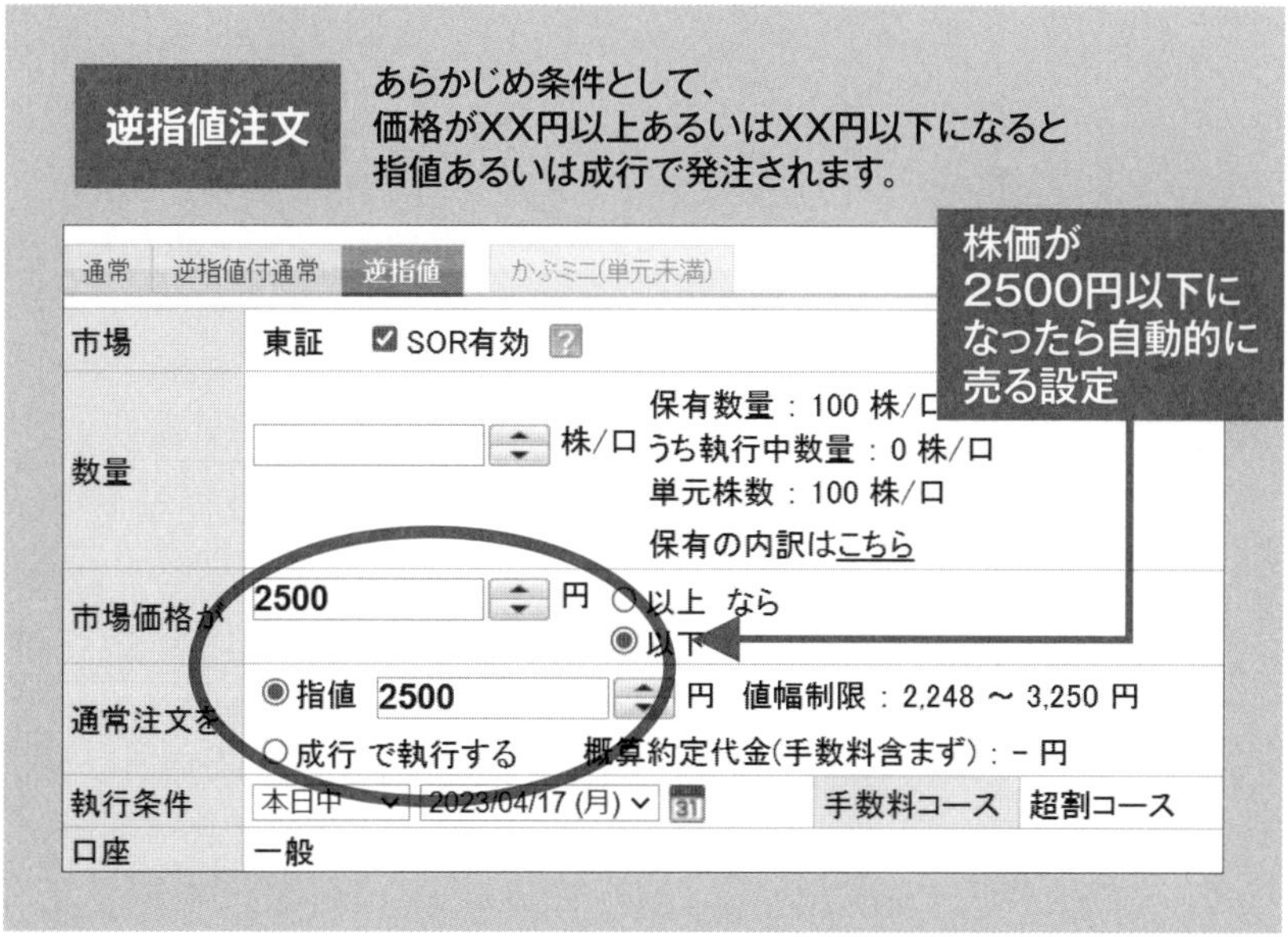

楽天証券の取引画面

ぶっちゃけ 銘柄も見せてください！

億り人がやっている 月10万稼ぐ10倍株＆小型株投資法

2023年5月25日　第1刷発行

著者

はっしゃん／愛鷹／キリン／テンバガー投資家X／とりでみなみ

発行人

蓮見清一

発行所

株式会社 宝島社

〒102-8388 東京都千代田区一番町25番地

電話：03-3234-4621（営業）／ 03-3239-0646（編集）

https://tkj.jp

印刷・製本　サンケイ総合印刷株式会社

ISBN 978-4-299-04280-4